Themen neu

Lehrwerk für Deutsch als Fremdsprache

Arbeitsbuch **3**

von
Heiko Bock und
Jutta Müller

Max Hueber Verlag

Verlagsredaktion: Werner Bönzli, Reichertshausen
Illustrationen: Joachim Schuster, Baldham
Umschlagfoto: © Tony Stone Bilderwelten, München
Foto S. 77: Reichler, Garching

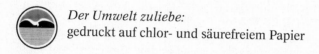

Der Umwelt zuliebe:
gedruckt auf chlor- und säurefreiem Papier

3. 2. 1.	Die letzten Ziffern bezeichnen
1999 98 97 96 95	Zahl und Jahr des Druckes.

Alle Drucke dieser Auflage können, da unverändert, nebeneinander
benutzt werden.
1. Auflage
© 1995 Max Hueber Verlag, D-85737 Ismaning
Druck und buchbinderische Verarbeitung: Ludwig Auer GmbH, Donauwörth
Printed in Germany
ISBN 3–19–011523–0

Inhalt

Inhalt

In diesem Arbeitsbuch zu „Themen neu 3" werden die wichtigen Redemittel jeder Lektion einzeln herausgehoben und ihre Bildung und ihr Gebrauch geübt. Alle Übungen sind einzelnen Lernschritten im Kursbuch zugeordnet.

Jeder Lektion ist eine Übersicht über den Kernwortschatz und die wichtigsten Grammatikstrukturen vorangestellt, die in der betreffenden Lektion gelernt werden. In die Wortschatzliste sind auch Wörter aufgenommen, die schon früher eingeführt wurden und in diesem Band wiederholt werden. Die Übersichten sind einerseits eine Orientierungshilfe für die Kursleiterin oder den Kursleiter, andererseits eine Möglichkeit der Selbstkontrolle für die Lernenden: Nach Durchnahme der Lektion sollte ihnen kein Eintrag in der Wortliste und der Zusammenstellung der Grammatikstrukturen mehr unbekannt sein. Die Autoren empfehlen nicht, diese Liste als solche auswendig zu lernen – das Durcharbeiten der Übungen, auch mehrfach, setzt einen effizienteren Lernprozeß in Gang.

Zu den meisten Übungen gibt es im Schlüssel eine Lösung. Dies ermöglicht es den Lernenden, selbständig zu arbeiten und sich selbst zu korrigieren. Zusammen mit dem Kursbuch und evtl. einem ein- oder zweisprachigen Wörterbuch kann dieses Arbeitsbuch dazu dienen, versäumte Stunden selbständig nachzuholen.

Die Übungen dieses Arbeitsbuchs können im Kurs vor allem nach Erklärungsphasen in Stillarbeit eingesetzt werden. Je nach den Lernbedingungen der Kursteilnehmer können die Übungen aber auch weitgehend in häuslicher Einzelarbeit gemacht werden. (Über die Möglichkeit, die Lösungen aus dem Schlüssel abzuschreiben, sollte man sich nicht allzu viele Gedanken machen. Oft ist der Lernerfolg dabei fast ebensogroß. Manche Lernende lassen sich von dem Argument überzeugen, daß das Abschreiben meistens wesentlich mühsamer ist als ein selbständiges Lösen der Aufgabe.)

Nicht alle Übungen lassen sich im Arbeitsbuch selbst lösen; für manche Übungen wird also eigenes Schreibpapier benötigt.

Verfasser und Verlag

Kernwortschatz

Verben

ausziehen 11
bauen 9
behaupten 12
beweisen 12
erkundigen 12

erscheinen 15
existieren 13
fahren 9
kündigen 12
mieten 13

mitteilen 13
packen 17
radfahren 9
reparieren 13
schwermachen 16

streichen 13
suchen 12
umziehen 12
wohnen 9
zusammengehören 17

Nomen

r Altbau, -ten 9
e Aussicht 9
r Balkon, -s 13
r Baum, ¨e 9
r Besitzer, - 12
e Birne, -n 13
r Blick 10
s Boot, -e 9
e Brücke, -n 9
r Dialekt, -e 17
s Dorf, ¨er 9
e Ecke, -n 9
s Eigentum 10
e Entfernung, -en 9
s Feld, -er 9
r Fluß, Flüsse 9
r Garten, ¨ 9
e Gegend, -en 9
s Gesetz, -e 12

Großeltern (Plural) 17
e Hälfte, -n 14
s Haus, ¨er 9
e Heimat 17
e Heizung, -en 13
r Herbst 14
s Hochhaus, ¨er 9
r Hof, ¨e 9
e Insel, -n 10
e Jugend 17
r Komfort 10
r Kreis, -e 17
e Kreuzung, -en 13
e Kultur, -en 17
e Lage, -n 13
e Lampe, -n 13
s Leder 14
r Lift, -s 10

s Loch, ¨er 13
r Makler, - 13
e Mauer, -n 9
s Meer, -e 9
r Mietvertrag, ¨e 12
r Misthaufen, - 9
s Möbel, - 14
r Neubau, -ten 9
r Ofen, ¨ 13
r Park, -s 9
r Raum, ¨e 12
s Recht, -e 12
s Regal, -e 14
r Schirm, -e 9
r Schrank, ¨e 14
e Schwierigkeit, -en 12
e Sonne, -n 9
r Strand, ¨e 9

s Tal, ¨er 10
e Tür, -en 13
r Turm, ¨e 9
r Untermieter, - 12
r Vermieter, - 12
s Vieh 9
r Vorort, -e 9
r Wald, ¨er 9
e Wand, ¨e 14
e Wärme 17
r Weg, -e 9
e Wiese, -n 9
r Wohnort, -e 17
e Wohnung, -en 12
r Wohnwagen, - 10
s Zentrum, Zentren 11
s Zimmer, - 13
r Zustand, ¨e 13

Adjektive

bequem 14
beschädigt 13
breit 14
dicht 13
direkt 9
frei 13
gemütlich 16
herrlich 9
hoch 9
kaputt 13
lebendig 16
leicht 17
meist- 14

möbliert 12
nahe 9
offen 10
schief 13
traurig 16
vergangen 14

Adverbien

links 16
mitten 10
nebenan 9
nirgends 10
rechts 16

Funktionswörter

aufgrund 14
außerhalb 9
dabei 14
davor 10
entlang 9
gegenüber 9
innerhalb 9
vorbei 9

Ausdruck

noch lange nicht 17

Lektion 1

Kerngrammatik

Zusammengesetzte Nomen (§ 1a und 1b)

Nomen + Nomen:
der Berggipfel
die Parkbank
das Gartentor

Nomen + n + Nomen
der Sonnenschirm
der Bauernhof
die Blumenwiese

Nomen + s + Nomen
der Meeresstrand
der Aussichtsturm

Nomen ohne -e + Nomen
der Kirchturm

Verb und Nomen (§ 1c)

Verbstamm + Nomen
das Wohnhaus
das Fahrrad
das Surfbrett

der Wanderweg
das Paddelboot
das Ruderboot

Verbstamm + e + Nomen
der Badestrand
die Haltestelle
die Anlegestelle

Präpositionen in Ortsangaben (§ 12)

mit Akkusativ:

um	den	...
quer durch	die	
	das	

um	den	... herum
	die	
	das	

mit Genitiv:

außerhalb	des	...
innerhalb	der	
	des	

mit Dativ:

gegenüber	dem	...
	der	
	dem	

entlang	dem	...
nahe bei	der	
ab	dem	

| am | | ... | vorbei |
| an | der | | entlang |

Konjunktiv II (§ 20)

ich	hätte	wäre	könnte	müßte	käme	gäbe	sähe
du	hättest	wärest	könntest	müßtest	kämest	gäbest	sähest
er	hätte	wäre	könnte	müßte	käme	gäbe	sähe
wir	hätten	wären	könnten	müßten	kämen	gäben	sähen
ihr	hättet	wärt	könntet	müßtet	kämt	gäbt	sähet
sie	hätten	wären	könnten	müßten	kämen	gäben	sähen

Passiv mit Modalverb (§ 23d)

Die Wand <u>muß</u> noch diese Woche <u>tapeziert werden</u>.
Die Fenster <u>müssen</u> sofort <u>gestrichen werden</u>.
Das Dach <u>kann</u> nicht mehr <u>repariert werden</u>.
Der Teppich <u>sollte</u> unbedingt <u>erneuert werden</u>.

1. Zusammengesetzte Nomen.

Nach Übung

1

im Kursbuch

A. Setzen Sie zuerst die Artikel ein. Bilden Sie dann zusammengesetzte Nomen.

a) großer Platz; Abfall sammeln: _die_   _Müll_____deponie
b) ganz oben; klettern; weiter Blick: _der_   _____gipfel
c) blühen; Gras, Pflanzen: ____ _____wiese
d) Gipfel; nicht laufen, sondern fahren: ____ _____bahn
e) sitzen; Wege; Rasen, Bäume, Pflanzen: ____ _____bank
f) Rasen; Eingang; Grenze: ____ _____tor
g) Früchte; wachsen; Blätter; Holz: ____ _____baum
h) Strom produzieren; Fluß: ____ _____kraftwerk
i) über Fluß / Tal / Straße fahren; schnell: ____ _____bahn
j) schönes Wetter; heiß; draußen sitzen: ____ _____schirm
k) Tiere; Landwirt; Haus: ____ _____hof
l) Wasser; Sand; flaches Ufer: ____ _____strand
m) Gebäudeteil; hoch; Glocken; Uhr: ____ _____turm
n) gut und weit sehen; hoch; Gebäude: ____ _____turm
o) Kinder; Pause; spielen; Schule: ____ _____hof
p) keine Autos; laufen; Natur; Wald: ____ _____weg
q) im Sommer; Wasser; Sand; Sonne; liegen: ____ _____strand
r) Schiff; Haltestelle: ____ _____stelle
s) segeln; kein Boot: ____ _____brett
t) Bus; stoppen: ____ _____stelle
u) Schiff; kein Motor; nicht segeln: ____ _____boot

Aussichts
Berg Bauern
Blumen Auto
Garten Kirch
~~Müll~~ Meeres
Obst Berg
Sonnen Park
Schul Wasser

anlegen surfen
wandern
baden rudern
halten

B. Ordnen Sie die Nomen.

a) Nomen + Nomen

die Mülldeponie
_____
_____
_____
_____

b) Nomen + „-n-" / „-en-" + Nomen

der Sonnenschirm

c) Nomen + „-s-" / „-es-" + Nomen

der Meeresstrand
_____

d) Nomen ohne „-e" am Ende + Nomen

_der Kirchturm_____

e) Verbstamm + Nomen

_der Wanderweg_____
_____

f) Verbstamm + „-e-" + Nomen

_der Badestrand_____
_____
_____

Lektion 1

Nach Übung

1

im Kursbuch

2. Ergänzen Sie mit dem Artikel und dem Nomen.

a) Obst, das von selbst vom Baum auf die Erde gefallen ist: _____ Fall_____
b) Blume, die so gelb wie Butter ist: _____ Butter_____
c) Müll, den die Industrie verursacht hat: _____ Industrie_____
d) Meer, das hoch im Norden liegt: _____ Eis_____
e) Kleine Kirche, die in einem Dorf steht: _____ Dorf_____
f) Platz in der Mitte eines Dorfes: _____ Dorf_____
g) Blume, die in einer Wiese wächst: _____ Wiesen_____
h) Dach auf einem Kirchturm: _____ Kirchturm_____
i) Große Menge von Müll: _____ Müll_____
j) Insel, auf der man gut Ferien machen kann: _____ Ferien_____
k) Ufer eines Flußes: _____ Fluß_____
l) Brücke an einer Staatsgrenze: _____ Grenz_____
m) Dach, das vor der Sonne schützen soll: _____ Sonnen_____
n) Insel, wo immer die Sonne scheint: _____ Sonnen_____
o) Gemüse, das im Frühling gewachsen ist: _____ Frühlings_____
p) Die Person, die neben jemandem auf einer Bank sitzt: _____ Bank_____
_____ Bank_____

Nach Übung

2

im Kursbuch

3. Ergänzen Sie die Präpositionen und Definitartikel.

an	auf	durch	in	über	um	unter	zu

a) *auf den* _____ Berggipfel steigen
b) *auf dem* _____ Gipfel eine Pause machen
c) _____ Haltestelle warten
d) _____ Haltestelle gehen
e) _____ Haltestelle vorbeifahren
f) _____ Wald spazierengehen
g) _____ Wald nach Hause fahren
h) _____ Fluß baden
i) _____ Fluß entlanggehen
j) _____ Brücke fahren
k) _____ Sonnenschirm liegen
l) _____ Strand liegen und sich sonnen

m) _____ Insel wohnen
n) _____ Insel herum segeln
o) _____ Hauptstraße auf die andere Seite gehen
p) _____ Hauptstraße parken
q) _____ Hauptstraße wohnen
r) _____ Marktplatz gehen
s) _____ Marktplatz spielen
t) _____ Marktplatz wohnen
u) _____ Marktplatz auf die andere Seite gehen
v) _____ Marktplatz herumgehen

Nach Übung

2

im Kursbuch

4. Ergänzen Sie.

a) im Garten : der Rasen / in der Natur: _____
b) klein : der Bach / groß: _____
c) Bohnen, Erbsen, Kohl : das Gemüse / Äpfel, Kirschen, Orangen: _____
d) im Haus : die Tür / im Garten, im Hof: _____
e) groß : das Schiff / klein: _____
f) Kälte : der Mantel / Regen: _____

g) Menschen : das Haus / Vieh: _____

h) Stein : die Mauer / Holz, Metall: _____

i) Bauernhof : die Felder / zu Hause: _____

j) Arbeiter : die Fabrik / Bauer: _____

k) Müll : die Deponie / Mist: _____

l) klein : der Hügel / groß: _____

m) Auto fahren : die Straße / wandern: _____

n) nachts : der Mond / am Tag: _____

o) Erdbeeren : die Pflanze / Äpfel: _____

p) Bahnhof : die Bahn / Haltestelle: _____

5. Schreiben Sie zehn Sätze zur Zeichnung auf Seite 8 im Kursbuch.

Nach Übung

2

im Kursbuch

Zum Beispiel:

a) *Auf dem Berg steht ein Aussichtsturm.* _____

b) *Neben der Kirche ...* _____

c) _____

d) _____

e) _____

f) _____

g) _____

h) _____

i) _____

j) _____

k) _____

(Zu dieser Übung finden Sie im Schlüssel keine Lösung. Sie können Ihre Lehrerin oder Ihren Lehrer bitten, die Sätze zu lesen und zu korrigieren.)

6. Wiederholung: Perfekt. Was haben Sie heute gemacht?

Nach Übung

2

im Kursbuch

a) sich sonnen –
am Strand

Ich habe mich am Strand gesonnt. _____

b) spazierengehen –
im Park

Ich bin ... _____

c) steigen –
auf den Aussichtsturm

_____

d) angeln –
am See

_____

e) rudern –
auf dem Meer

_____

f) Obst pflücken –
im Garten

_____

g) Sandburg bauen –
am Strand

_____

Lektion 1

h) fahren –
   am Fluß entlang _____

i) baden –
   im Meer _____

j) jemanden kennenlernen –
   am Strand _____

k) sich duschen –
   im Schwimmbad _____

l) Geld finden –
   auf der Straße _____

m) frühstücken –
   im Café _____

n) schreiben –
   einen Brief nach Hause _____

o) fotografieren –
   im Museum _____

p) sich einen Film ansehen –
   im Kino _____

q) parken –
   vor dem Hotel _____

r) sich ausruhen –
   im Hotelzimmer _____

Nach Übung

3

im Kursbuch

7. Ergänzen Sie die Sätze mit den folgenden Wörtern.

entlang	innerhalb	außerhalb	um ... herum	nebenan	gegenüber	um

a) Wir wohnen nicht in der Stadt.
   Wir wohnen _____ .

b) Meine Eltern wohnen im nächsten Haus.
   Sie wohnen _____ .

c) Nachts gehe ich nicht gern durch den Park; da ist es mir zu dunkel.
   Ich gehe nachts lieber _____ den Park _____ .

d) Etwa in der Mitte des Parks liegt ein See.
   Der See liegt _____ des Parks.

e) Wir laufen jetzt schon zwei Stunden auf dieser Straße!
   Wir laufen jetzt schon zwei Stunden diese Straße _____ !

f) Die Post ist auf der anderen Seite der Straße.
   Die Post ist _____ .

g) Vor, hinter und neben der Kirche stehen Bäume.
   _____ die Kirche stehen viele Bäume.

8. Wiederholung: Attributives Adjektiv. Ergänzen Sie die Endungen.

→ Themen neu 2, Arbeitsbuch: Seiten 10–12

Nach Übung

4

im Kursbuch

Nicht alle Menschen wohnen in Häusern.

a) Ich habe ein hübsch_____ Haus in der Stadt, aber meistens lebe ich auf einem groß_____ Schiff. Das gehört mir. Auf dem Schiff ist eine komplett_____ Wohnung: ein toll_____ Wohnzimmer mit Blick über das ganze Schiff, ein klein_____ Schlafzimmer und eine modern_____ Küche. Sogar ein richtig_____ Bad mit warm_____ Wasser gibt es auf dem Schiff.

b) Ich habe fast jeden Tag einen neu_____ Schlafplatz. Wenn gut_____ Wetter ist, suche ich mir eine bequem_____ Bank in einem schön_____ Park oder auf einem ruhig_____ Friedhof. Bei schlecht_____ Wetter schlafe ich im Sommer unter einer groß_____ Flußbrücke. In kalt_____ Winternächten kann man draußen nicht schlafen. Dann muß ich in ein Wohnheim gehen. Dort gefällt es mir eigentlich nicht, aber es gibt ein warm_____ Zimmer und warm_____ Essen.

c) Mein Haus ist ein elf Meter lang_____ Wohnwagen. Er hat ein gemütlich_____ Wohnzimmer, ein separat_____ Schlafzimmer und eine klein_____ Küche mit fließend_____ warm_____ Wasser. In einem speziell_____ Wagen haben wir ein klein_____ Bad mit einer normal_____ Dusche und einer normal_____ Toilette. Sogar eine modern_____ Waschmaschine ist in dem Wagen.

9. Ihre Grammatik.

Nach Übung

4

im Kursbuch

Unregelmäßige Verben haben Konjunktiv II-Formen, die den Formen des Prätertums sehr ähnlich sind. Beachten Sie also genau die Unterschiede:

Infinitiv	*Präteritum:* er …	*Konjunktiv II:* er …
rufen	rief	riefe
treffen	traf	träfe

A. Ergänzen Sie die Tabelle.

	kommen	treffen	bleiben	gehen	stehen
ich	*kam* *käme*				*stand* *stände / stünde*
du	*kamst* *kämst*				
er, sie es, man	*kam* *käme*				
wir	*kamen* *kämen*				
ihr	*kamt* *kämt*				
sie, Sie	*kamen* *kämen*				

Lektion 1

B. Schreiben Sie die Formen für „er" / „sie" / „es".

a) nehmen *nahm* _____ *nähme* _____   g) laufen _____ _____
b) schlafen _____ _____   h) liegen _____ _____
c) bringen _____ _____   i) tragen _____ _____
d) denken _____ _____   j) stehen _____ _____
e) fahren _____ _____   k) geben _____ _____
f) fliegen _____ _____   l) behalten _____ _____

Nach Übung

4

im Kursbuch

10. Was wünscht sich der Mann? Schreiben Sie.

In der Alltagssprache verwendet man statt des Konjunktivs II meistens die Form „würde" + *Infinitiv*. Nur bei einigen unregelmäßigen Verben werden die eigentlichen Formen des Konjunktiv II manchmal gebraucht. Der Konjunktiv II der Verben „sein" und „haben" wird <u>nie</u> mit „würde" + *Inifinitiv* umschrieben.

Ich wünschte mir, …

a) *sie käme immer pünktlich.* _____ (immer pünktlich kommen)
b) *sie* _____ (mich jeden Tag anrufen)
c) _____ (öfter mit mir ausgehen)
d) _____ (weniger Geld für ihr Auto ausgeben)
e) _____ (mir jede Woche einen Brief schreiben)
f) _____ (öfter mit mir spazieren gehen)
g) _____ (jeden Tag vorbeikommen)
h) _____ (immer mit mir zusammenbleiben)
i) _____ (mich nie allein lassen)
j) _____ (morgens früher aufstehen)
k) _____ (ein Kind bekommen)
l) _____ (mich attraktiv finden)
m) _____ (sich nicht mit anderen Männern treffen)
n) _____ (meine Probleme verstehen)
o) _____ (anderen Männern nicht so gut gefallen)
p) _____ (mehr Zeit für mich haben)
q) _____ etwas freundlicher sein)

Nach Übung

4

im Kursbuch

11. Ergänzen Sie.

→ Themen neu 2, Kursbuch: Seiten 41 und 45; Arbeitsbuch: Übung 24 auf Seite 39

können	dürfen	müssen	sein	haben

Wohnen in einem modernen Hochhaus. Was wäre gut? Was wäre nicht so gut?

a) Man _____ eine herrliche Aussicht. Man _____ sehr weit sehen.
b) Man _____ keine großen Hunde haben.
c) Man _____ immer ruhig sein, weil noch viele andere Leute im Haus wohnen.

d) Man _____ viel Komfort, z. B. eine Tiefgarage, ein Schwimmbad auf dem Dach, Zentralheizung und immer warmes Wasser.

e) Man _____ immer lange auf den Aufzug warten.

f) Man _____ keinen Garten, sondern nur einen Balkon.

g) Man _____ vielleicht oft allein, weil die Atmosphäre in einem Hochhaus meistens sehr unpersönlich ist.

h) Man _____ keinen Lärm machen, weil das die Nachbarn stören würde.

i) Man _____ keinen Hausflur putzen, weil es in Hochhäusern einen Hausmeister gibt.

12. Ergänzen Sie.

Nach Übung

5

im Kursbuch

| ~~auf~~ darauf vor neben davor daneben unter darunter hinter dahinter darauf |

Das kleine Haus _auf_ ___ der Wiese ist unser Haus. Der Turm _____ ist ein alter Wasserturm. Die Garage habe ich letztes Jahr angebaut; rechts _____ ist immer noch der Misthaufen (eines unserer Hühner spaziert gerade _____ herum), und _____ dem Misthaufen steht unser Apfelbaum. Wenn Du genau hinsiehst, dann kannst Du sogar sehen, daß ein Amselpärchen _____ ein Nest gebaut hat.

Links _____ unserem Haus habe ich den großen Sonnenschirm aufgestellt. Der Mann, der _____ sitzt und Zeitung liest, bin ich! _____ mir steht der Tisch, den Du mir geschenkt hast, und das dunkle Ding _____ dem Tisch ist unsere Katze. Mein Gartenhaus kannst Du leider nicht sehen, denn die Garage steht genau _____ . ...

Lektion 1

Nach Übung

9

im Kursbuch

13. Schreiben Sie einen Dialog.

Hallo, Carlo, was ist denn passiert? Du siehst ja so traurig aus!

　　　　Na ja, ich muß schon wieder umziehen.

Du weißt doch, was das Gesetz sagt: Wenn der Vermieter das Zimmer für sich oder seine Familie braucht, kann er dem Mieter kündigen.

　　　　Kannst du nichts dagegen machen?

Mein Vermieter braucht das Zimmer für seinen Sohn, sagt er. Deshalb hat er mir gekündigt.

Was? Du wohnst doch erst seit sechs Monaten in deinem neuen Zimmer!

Das weiß ich auch nicht. Informiere dich doch mal beim Mieterverein. Der kann dir vielleicht helfen.

Aber das wußte er doch bestimmt schon vor einem halben Jahr. Das hätte er dir sagen müssen, daß du nur so kurz bei ihm wohnen kannst!

Das finde ich auch. Aber hilft mir das, wenn ich es nicht beweisen kann?

Hallo, Carlo, was ist _____

_____

_____

_____

_____

_____

_____

_____

Nach Übung

11

im Kursbuch

14. Sagen Sie es anders.

Man kann den Vertrag innerhalb eines Monats kündigen.

Der Vertrag kann innerhalb eines Monats gekündigt werden.

a) Man sollte den Vertrag vorher genau prüfen.
b) Man darf in der Wohnung keine laute Musik machen.
c) Man muß den Vermieter informieren.
d) Man muß das Wohnzimmer renovieren.

e) Man kann die Wohnung sofort mieten.
f) Man darf die Türen nicht streichen.
g) Man sollte die Miete pünktlich zahlen.
h) Man muß die Wände neu streichen.
i) Das muß man beweisen.

15. Wiederholung: Nomen zum Thema Wohnen.

Nach Übung

11

im Kursbuch

(Kreuzworträtsel mit Feld 3 waagerecht: S O F A)

Waagerecht:

3 Darauf kann man zusammen mit anderen sitzen: das *Sofa*   **7** Darin werden schmutzige Kleider sauber: die _____   **8** Damit wird die Wohnung auch im Winter gemütlich: die _____   **10** Damit bekleidet man eine Wand: die _____   **11** Darin wird man im Stehen sauber: die _____   **13** Damit kann man die Nacht zum Tag machen: die _____   **14** Darin hat man nicht nur seine Bücher: das _____

Senkrecht:

1 Darin bleiben saubere Kleider sauber: der _____   **2** Darin kann man sehen, wie gut man aussieht: der _____   **3** Darauf sitzt man beim Essen: der _____   **4** Darin wird man im Liegen sauber: die _____   **5** Daran sitzt man beim Essen: der _____   **6** Darin kann man besonders bequem sitzen: der _____   **9** Wenn dieses Wort vor 1 senkrecht steht, bleiben darin Lebensmittel länger frisch („Ü“=„UE“): der _____…   **10** Darauf kann man ganz leise gehen: der _____   **12** Darin wacht man morgens auf: das _____

16. Fragen an einen Makler. Was paßt zusammen?

Nach Übung

11

im Kursbuch

a) Hat die Wohnung einen Balkon?
b) Ist das Haus alt?
c) Ist die Wohnung möbliert?
d) Ab wann könnte ich die Wohnung mieten?
e) Sind die Tapeten neu?
f) Liegt das Haus im Zentrum?
g) Wohnt der Besitzer auch im Haus?
h) Bietet die Wohnung einen schönen Ausblick?
i) In welchem Stockwerk liegt die Wohnung?

1. Ja, aber er ist sehr nett.
2. Nein, die Wände müssen frisch gestrichen werden.
3. Im vierten. Aber es gibt einen Lift.
4. Nein, aber Sie dürfen den Garten benutzen,
5 Nein, in einem Vorort.
6. Sie wird in vier Wochen frei.
7. Nein, es ist ein Neubau.
8. Oh ja; Sie können die Berge sehen.
9. Nein, aber die Küche ist komplett mit Kühlschrank und Herd.

Lektion 1

Nach Übung

11

im Kursbuch

17. Wiederholung: Nomen. Notieren Sie die Nomen mit Artikel.

a) *der   Schalter*

b) _____

c) _____

d) _____

e) _____

f) _____

g) _____

h) _____

i) _____

j) _____

k) _____

l) _____

m) _____

n) _____

o) _____

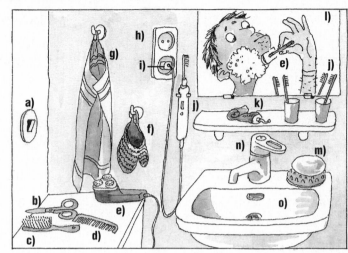

Nach Übung

12

im Kursbuch

18. Lesen Sie.

Lesen Sie den folgenden Text.

> Er öffnete die Tür und trat in Jakobs Zimmer. Es war klein und einfach eingerichtet. Genau in der Mitte der Wand war das Fenster. Rechts stand in der Ecke ein Ofen. Vor dem Ofen lag ein alter Teppich auf dem Fußboden.
> Unter dem Fenster stand ein kleiner Schrank; darauf sah er den Plattenspieler, den er Jakob zu seinem letzten Geburtstag geschenkt hatte, und einen großen Wecker. Links neben dem Fenster hing ein Bild an der Wand, es zeigte das Gesicht eines kleinen Kindes. In der linken Ecke stand Jakobs Bett. Von der niedrigen Holzdecke hing eine runde Lampe aus japanischem Reispapier. Sie hing so tief herunter, daß man um sie herumgehen mußte.

Das Bild zeigt dasselbe Zimmer zwanzig Jahre später. Was wurde verändert?

1. *Der Ofen ...* _____

2. _____

3. _____

4. _____

5. _____

6. _____

19. Welche Verben sind in den Nomen „versteckt"?

Nach Übung

12

im Kursbuch

die Wohnung → *wohnen*　　　　　　die Kleidung → *sich kleiden*

a) die Bedienung	d) die Meinung	g) die Rechnung	j) die Sendung
b) die Erkältung	e) die Ordnung	h) die Regierung	k) die Verbindung
c) die Heizung	f) die Prüfung	i) die Reinigung	l) die Zeichnung

20. Das Partizip I.

Nach Übung

14

im Kursbuch

Für das Partizip I fügt man ein „-d" an den Infinitiv eines Verbs. Oft wird es ähnlich wie ein Adjektiv gebraucht. Das Partizip I kommt häufig in Wörterbucherklärungen vor, z.B.:
　　Heimatfilm, der: *im ländlichen Milieu spielender Film*

Man könnte diese Erklärung auch mit einem Relativsatz geben:
　　Heimatfilm, der: *Film, der im ländlichen Milieu spielt*

A. Sagen Sie es anders. Verwenden Sie einen Relativsatz.

a) **Heimatlied,** das: die Heimat besingendes Lied
　　Lied, das die _____

b) **Vorort,** der: am Rand einer Stadt liegender Stadtteil
　　Stadtteil, _____

c) **Sonnenschirm,** der: vor der Sonne schützender Schirm
　　Schirm, _____

d) **Sonnenblume,** die: hoch wachsende Blume mit gelber Blüte
　　Blume mit gelber Blüte, _____

e) **Geldschrank,** der: nur mit einer Zahlenkombination zu öffnender Schrank

f) **Flußbrücke,** die: über einen Fluß führende Brücke

B. Wie heißen die Infinitive?

a) der gerade abfahrende Zug　　　*abfahren* _____
b) die arbeitenden Menschen　　　_____
c) die badenden Kinder　　　_____
d) die morgen beginnenden Ferien　　　_____
e) ein schon lange bestehender Vertrag　　　_____
f) der dauernde laute Lärm　　　_____
g) die einsteigenden Passagiere　　　_____
h) das fehlende Geld　　　_____
i) die immer noch feiernden Gäste　　　_____
j) auf der folgenden Seite　　　_____
k) die endlos fragende Journalistin　　　_____
l) eine gut funktionierende Maschine　　　_____

Hinweis: Sie müssen das Partizip I nicht selbst verwenden. Es reicht, wenn Sie es verstehen.

Lektion 1

Nach Übung

14

im Kursbuch

21. Ergänzen Sie. Wiederholen Sie die Artikel im Genitiv.

→ Themen neu 1, Arbeitsbuch: Übungen 14 und 15 auf Seite 118–119

a) Heimatsprache = Sprache d____ Landesteils, der jemandes Heimat ist

b) Heimatmuseum = Museum mit Sammlungen d____ engeren Heimat

c) Heimatforscher = Forscher, der sich mit der Erforschung d____ heimatlichen Landschaft beschäftigt

d) Ansichtskarte = Postkarte mit Bildern e____ Landschaft oder e____ Stadt.

e) Tante = Schwester d____ Mutter oder d____ Vaters oder Ehefrau e____ Onkels

f) Minister = Mitglied e____ Regierung, Chef e____ Ministeriums

g) Dialekt = spezielle Sprache e____ Landesteils

h) Diktatur = Regierungsform e____ Staates, in der eine Person oder eine kleine Gruppe von Menschen alles allein bestimmt

i) Erdgeschoß = Stockwerk e____ Hauses, das auf der Höhe d____ Straße liegt

j) Examen = Prüfung am Ende e____ Studiums, e____ Kurses oder e____ Ausbildung

k) Kantine = Restaurant für die Angestellten e____ Betriebs

l) Schlafzimmer = das Zimmer e____ Hauses oder e____ Wohnung, in dem man schläft

m) Monat = einer d____ zwölf Teile e____ Jahres

Nach Übung

15

im Kursbuch

22. Was können Sie auch sagen?

a) Die Wohnung ist altmodisch möbliert.

A Alle Möbel in der Wohnung sind kaputt oder beschädigt.

B Die Möbel in der Wohnung sind bequem und gemütlich.

C Die Möbel sind unmodern.

b) Mein Untermieter ist ein netter Mensch.

A Mein Untermieter ist höflich und freundlich.

B Mein Untermieter ist glücklich.

C Mein Untermieter wirkt immer sehr lebendig.

c) In einem Hochhaus fühlen sich viele Menschen einsam.

A In einem Hochhaus wohnen die meisten Menschen allein.

B In einem Hochhaus haben die Mieter wenig Kontakt miteinander.

C Es ist traurig, in einem Hochhaus zu wohnen.

d) Meine Nachbarn sind kalt.

A Meine Nachbarn sind tot.

B Meine Nachbarn sind unpersönlich und abweisend.

C Meine Nachbarn frieren immer.

e) Mein Vermieter ist sehr neugierig.

A Mein Vermieter interessiert sich zu sehr für alles, was ich mache.

B Mein Vermieter kauft alles, was neu und teuer ist.

C Mein Vermieter ist ein moderner Mensch.

f) Die Menschen waren früher ärmer, aber dafür glücklicher.

A Obwohl die Menschen früher weniger Geld hatten, waren sie fröhlicher.

B Die Menschen waren früher zufriedener, weil sie arm waren.

C Früher gab es keine reichen Leute. Deshalb waren alle glücklich.

23. Ergänzen Sie. Wiederholen Sie das Relativpronomen.

→ Themen neu 2, Kursbuch: Seite 78–79; Arbeitsbuch: Übungen 19 und 21 auf Seite 76–78

Nach Übung

15

im Kursbuch

Heimat ist …

a) der Staat, _____ mir am besten gefällt.

b) der Staat, _____ ich am meisten liebe.

c) der Staat, in _____ ich gern lebe.

d) der Staat, _____ Sprache ich spreche.

e) die Region, _____ mir am besten gefällt.

f) die Region, _____ ich am meisten liebe.

g) die Region, in _____ ich gern lebe.

h) die Region, _____ Sprache ich spreche.

i) das Land, _____ mir am besten gefällt.

j) das Land, _____ ich am meisten liebe.

k) das Land, in _____ ich gern lebe.

l) das Land, _____ Sprache ich spreche.

Im Urlaub besuche ich …

m) die Länder, _____ mir am besten gefallen.

n) die Länder, _____ ich am meisten liebe.

o) die Länder, in _____ ich eigentlich gern leben würde.

p) die Länder, _____ Sprache ich spreche.

24. Unbestimmte Relativpronomen.

Nach Übung

15

im Kursbuch

Wenn ein Relativsatz sich auf etwas Unbestimmtes bezieht (z.B. „das", „alles", „manches", „vieles", „nichts") oder auf Orts- und Richtungsangaben („da", „dort", „überall"; „dahin", „dorthin", „überallhin"), dann verwendet man ein Fragewort als Relativpronomen:

Wir können <u>alles</u> haben, <u>was</u> wir möchten.

Solche unbestimmten Relativsätze sind auch ohne Bezugswort möglich: Wir können haben, <u>was</u> wir möchten. Wir können wohnen, <u>wo</u> es uns paßt. Wir können reisen, <u>wohin</u> wir wollen.

Ergänzen Sie die Sätze mit den Relativpronomen „wo", „was" oder „wohin".

a) Wir können alles tragen, _____ uns gefällt.

b) Meine Heimat ist dort, _____ ich mich wohlfühle.

c) Das, _____ für unsere Eltern noch unvorstellbar war, ist für uns Realität geworden.

d) Ich will an keinem Ort leben, _____ man nicht Auto fahren kann.

e) Wir können vieles haben, _____ man kaufen kann.

f) Ich komme, _____ du möchtest.

25. Was paßt zusammen?

Nach Übung

15

im Kursbuch

a) Ich miete das Haus,

b) Ich mache nur,

c) Ich reise,

d) Ich kenne einen See,

e) Wir bleiben da,

f) Ich nehme die Wohnung,

g) Es gibt viele Wohnungen,

h) Ich lebe in einer Stadt,

1) der mir gut gefällt.

2) in der es mir gefällt.

3) das mir am besten gefällt.

4) deren Lage mir am besten gefällt.

5) was mir gefällt.

6) wohin es mir gefällt.

7) wo es uns gefällt.

8) die mir gefallen.

Lektion 2

Kernwortschatz

Verben

abbiegen 20
abnehmen 27
abschleppen 20
ankommen 20
annehmen 25
anstrengen 29
beachten 20
beantragen 26
beobachten 29
beschließen 28
betragen 24
bremsen 20
buchen 29
denken 27
erfahren 23

eröffnen 20
erreichen 20
fliehen 20
fließen 22
frieren 22
fürchten 27
glauben 25
hassen 29
hupen 20
klettern 20
klopfen 20
kriegen 28
landen 20
melden 24
mitnehmen 26

regeln 20
schieben 20
sichern 28
sinken 27
spazierengehen 20
stecken 28
steigen 27
stellen 22
stoßen 20
teilnehmen 29
überholen 20
übernachten 24
überqueren 20
überweisen 26
umtauschen 28

verabschieden 20
verbessern 27
verbrauchen 27
verbringen 24
verhaften 20
verhindern 25
verlassen 20
vermuten 25
verschlechtern 27
wachsen 27
wandern 20
widersprechen 23
wundern 28
zunehmen 26
zusammenstoßen 20

Nomen

e Ampel 20
e Ansichtskarte, -n 28
r Auftrag, ¨e 26
e Ausfahrt, -en 24
e Ausreise 24
e Autobahn, -en 20
r Bau 27
r Bürger, - 26
r Campingplatz, ¨e 29
s Dutzend 28
e Eisenbahn, -en 20
e Einbahnstraße, -n 20
Europa 26
e Fähre, -n 19
s Fahrrad, ¨er 22
e Fahrt, -en 22
s Fenster, - 28
e Form, -en 25
e Freiheit, -en 26

e Freizeit 25
r Friseur, -e 32
s Gebäude, - 27
e Gefahr, -en 27
s Geld 26
s Gepäck 28
s Geschäft, -e 26
e Grenze, -n 20
e Hitze 29
e Höhe 26
s Institut, -e 25
e Jacke, -n 34
e Katze, -n 20
r Kofferraum, ¨e 26
r Konsum 25
r Kontinent, -e 29
e Kurve, -n 22
r Lastwagen, - 26
r Liter, - 26
r LKW, -s 20
r Markt, ¨e 26

s Mittel, - 25
r Mond, -e 20
e Muttersprache, -n 28
r Norden 22
e Person, -en 27
r Professor, -en 25
r Punkt, -e 23
s Recht, -e 26
e Reise, -n 29
s Reisebüro, -s 29
e Richtung, -en 24
s Schild, -er 20
s Schloß, Schlösser 22
s Schwimmbad, ¨er 28
e Seite, -n 22
r Stau, -s 20
e Steuer, -n 26
e Strecke, -n 24
r Student, -en 26

r Süden 22
e Tankstelle, -n 27
s Tor, -e 22
e Überschrift, -en 26
e Umleitung, -en 24
r Unfall, ¨e 24
e Unterkunft, ¨e 29
r Urlaub 24
r Verbrecher, - 27
r Verkehr 24
e Voraussetzung, -en 26
e Vorfahrt 20
e Vorschrift, -en 26
r Wagen, - 26
e Wahl, -en 26
e Zahl, -en 27
s Zelt, -e 29
r Zug, ¨e 20
r Zweck, -e 26
e Zukunft 25

Adjektive

aktiv 25	fremd 29	östlich 22	südlich 22
berufstätig 25	froh 27	reich 28	voll 28
europäisch 26	herzlich 28	steil 22	wesentlich 26

Adverbien

abwärts 22	danach 21	irgendwo 25	schließlich 21
allerdings 26	draußen 22	nun 22	unterwegs 24
ausnahmsweise 29	erst 21	rückwärts 28	zuerst 24

Kerngrammatik

Futur I (§ 16)

„Immer aktiv" – so <u>wird</u> das Motto des Freizeitmenschen <u>heißen</u>.
Die Menschen <u>werden</u> mehr <u>lesen</u>.

Das <u>wird</u> eines der Hauptprobleme der Zukunft <u>werden</u>.
Der Freizeitmensch <u>wird</u> sich zum Warte-Profi entwickeln <u>müssen</u>.

„hin-" (§ 13)

hin +	auf	+ Verb	Wir stiegen <u>hinauf</u> zur Marksburg.
	ein		So sind wir durch das Stadttor nach Linz <u>hineingefahren</u>.
	über		Wir sind mit der Autofähre nach Andernach <u>hinübergefahren</u>.
	unter		Der Blick <u>hinunter</u> auf den Rhein war wunderschön.

Präpositionale Attribute (§ 33b)

die Frau <u>mit den zwei Koffern</u>
der Junge <u>mit dem Fahrrad</u>
eine Wohnung <u>für eine große Familie</u>

Präpositionen in Ortsangaben (§ 12c)

vom	... aus
von der	

ab	dem	...
	der	

„brauchen " als Modalverb (§ 26b)

Sie <u>brauchen</u> keine Ansichtskarten <u>zu schreiben</u>.
Sie <u>brauchen</u> kein schweres Gepäck <u>zu tragen</u>.
Sie <u>brauchen</u> kein Geld <u>umzutauschen</u>.

Hervorhebung im Vorfeld (§ 35)

○ Sollen wir am Wochenende <u>dein Zimmer tapezieren</u>?

↓

□ <u>Arbeiten</u> muß ich schon während der Woche. Am Wochenende ruhe ich mich lieber aus.

Lektion 2

1. Wiederholung: Adjektiv.

→ Themen neu 2, Arbeitsbuch: Übungen 5, 7, 9 und 17 auf den Seiten 8–9 und 12

A. Schreiben Sie die Artikel zu den Nomen in der rechten Spalte.
B. Ergänzen Sie die Sätze a) bis z) mit den passenden Endungen.

a) Vor dem geschlossen____ Bahnübergang wartet ein grün____ Auto.

b) Dahinter überqueren eine alt____ Frau und ein blind____ Mann die Straße.

c) Ein fröhlich____ Vater trägt seinen klein____ Sohn auf den Schultern.

d) Ein jung____ Radfahrer muß wegen einer groß____ Katze bremsen.

e) Der Fahrer des grün____ Autos hinter ihm biegt nach links ab, obwohl ein groß____ Verkehrsschild das verbietet.

f) Vor dem Zug umarmt sich ein verliebt____ Paar.

g) Ein Gefangener klettert gerade über die ho____ Mauer des Gefängnisses.

h) Der Fahrer eines rot____ Autos ist in der falsch____ Richtung in eine Einbahnstraße gefahren.

i) Darüber ärgert sich der Fahrer des grau____ Autos, der von der ander____ Seite her durchfahren will.

j) An der Kreuzung hat es einen schwer____ Unfall gegeben.

k) Ein rot____ Auto ist mit einem grün____ zusammengestoßen.

l) Ein Polizist regelt den dicht____ Verkehr.

m) Trotzdem steht schon eine lang____ Schlange von Autos vor dies____ Kreuzung.

n) In der Nähe steht eine dick____ Kuh auf der Straße.

o) Ein ungeduldig____ Autofahrer drückt auf die Hupe, aber ohne groß____ Erfolg.

p) An der rot____ Ampel wartet ein sportlich____ Motorrad-fahrer.

q) Neben dem Flughafen wird gerade das erst____ Stück einer neu____ Autobahn eröffnet.

r) Am Fluß reitet eine sehr hübsch____ jung____ Frau mit groß____ Vergnügen auf ihrem grau____ Pferd.

s) Ein jung____ Mann mit einer rot____ Jacke fällt von der Brücke, aber schon springt ein mutig____ Mann ins Wasser, um ihm zu helfen.

t) Die alt____ Fähre bringt zwei Frauen und ein klein____ Auto über den Fluß.

u) Ein bös____ klein____ Junge stößt ein lieb____ klein____ Mädchen ins Wasser.

v) Eine reich____ Dame geht mit ihrem elegant____ klein____ Hund spazieren.

____ Bahnübergang

____ Auto

____ Radfahrer

____ Katze

____ Verkehrsschild
____ Paar
____ Mauer

____ Richtung

____ Seite
____ Unfall
____ Verkehr
____ Schlange

____ Kreuzung
____ Kuh

____ Erfolg
____ Ampel

____ Stück
____ Autobahn
____ Vergnügen
____ Pferd
____ Jacke

____ Fähre

____ Mädchen

____ Hund

w) Auf dem schmal_____ Bergweg wandert ein Mann mit einem grün_____ Hut.

x) Eine groß_____ Familie zieht in ihre neu_____ Wohnung ein.

y) Im zweit_____ Stock dieses Hauses verläßt eine Frau ihren weinend_____ Mann.

z) Unter dem groß_____ Baum, auf den ein groß_____ Junge geklettert ist, schließt eine zufrieden_____ Frau ihr neu_____ Auto ab.

_____ Weg
_____ Hut
_____ Familie
_____ Wohnung
_____ Stock
_____ Baum

2. Wer ist das?

Nach Übung

1

im Kursbuch

a) Wer ist Nr. 1? Es gibt verschiedene Lösungen. Hier einige Beispiele:

der Mann auf dem Berg (mit der Kamera)

der Mann mit der Kamera

der Mann, der auf dem Berg sitzt und fotografiert

der Mann auf dem Berg, der fotografiert

Ebenso Nr. 2 bis Nr. 10.

Lektion 2

Nach Übung

2

im Kursbuch

3. Ein Fahrradunfall. In welcher Reihenfolge ergeben die Sätze einen sinnvollen Text?

a) Einmal bin ich mit dem Fahrrad durch die Stadt gefahren.

b) Aber mein Fahrrad mußte ich danach schieben, weil es kaputt war.

c) Und natürlich wurde ich jetzt erst recht naß, weil ich es zu Fuß nicht schaffte, vor dem Gewitter zu Hause zu sein.

d) Ich sah sie erst, als es schon fast zu spät war.

e) Da war plötzlich eine Katze vor mir auf der Straße.

f) Ich bremste, so stark ich konnte, und dann fiel ich vom Rad.

g) Zum Glück ist mir dabei nichts passiert.

h) Seither bin ich beim Radfahren wieder etwas vorsichtiger geworden.

i) Ich fuhr ziemlich schnell, weil ein Gewitter kam und ich nicht naß werden wollte.

Nach Übung

2

im Kursbuch

4. Schreiben Sie.

a) mit dem Auto fahren ... einen LKW überholen wollen ... mit einem anderen Auto zusammenstoßen ... die Polizei rufen ... das Auto in die Werkstatt bringen

_____

_____

_____

_____

_____

b) im Park spazierengehen ... eine kleine Katze im Baum sehen ... auf den Baum steigen ... nicht mehr hinuntersteigen können ... um Hilfe rufen

_____

_____

_____

_____

_____

c) mit der Eisenbahn wegfahren wollen ... ein Taxi zum Bahnhof nehmen ... im Stau stehen ... aussteigen ... zu Fuß gehen ... gerade noch den Zug erreichen

_____

_____

_____

_____

5. Was paßt zusammen?

Nach Übung

3

im Kursbuch

a) Mein Freund Stefan und ich …

b) Am Anfang der Fahrt sind wir zwölf Kilometer bergab …

c) Ich bin immer hundert Meter hinter Stefan geblieben, …

d) Auf der Straße nach Leutesdorf …

e) Dann sind wir nach Koblenz gefahren, …

f) Um zur Jugendherberge in der Festung Ehrenbreitstein zu kommen, …

g) Wir haben die ganze Nacht gefroren, …

h) Bevor wir den steilen Berg wieder hinuntergefahren sind, …

i) Vom Schiff aus haben wir Burg Katz und Burg Maus gesehen, …

j) Die Marksburg haben wir besichtigt, …

k) Man hat einen schönen Blick auf den Rhein, …

1 … weil es in der Jugendherberge sehr kalt war.

2 … wo die Mosel in den Rhein fließt.

3 … wenn man nachts von der Burg hinuntersieht.

4 … haben in den Osterferien eine schöne Radtour gemacht.

5 … haben wir noch gut gefrühstückt.

6 … ins Rheintal hinuntergefahren.

7 … als wir über den Rhein nach St. Goar gefahren sind.

8 … gab es wenig Autoverkehr.

9 … mußten wir unsere Fahrräder einen steilen Berg hinaufschieben.

10 … weil wir in den vielen Kurven stark bremsen mußten.

11 … weil es dort viele Dinge aus dem 16. Jahrhundert zu sehen gibt.

6. Ergänzen Sie die Präpositionen „in", „an", „auf", „über", „nach", „durch" und, wenn nötig, den Definitartikel.

Nach Übung

3

im Kursbuch

a) Sie sind von einem Berg _____ Rheintal hinuntergefahren.

b) Wir haben _____ Rheintal Urlaub gemacht.

c) Man kann _____ Rhein gut Fahrrad fahren.

d) Er ist mit der Fähre _____ Fluß nach Andernach gefahren.

e) Wir wollen am Nachmittag _____ Fluß segeln.

f) Kann man direkt _____ Fluß parken?

g) Wir sind mit dem Rad _____ Fluß gefahren.

h) Wollt ihr mit dem Rad _____ Berg fahren?

i) Sie wollen _____ Fluß baden.

j) Er ist von einer Brücke _____ Fluß gefallen.

k) Wir machen oben _____ Berg eine Pause.

l) Sie sind gestern _____ Bacharach gefahren und haben dort übernachtet.

m) Sie haben _____ Bacharach übernachtet.

n) Seid ihr _____ Siebengebirge gefahren, um dort Urlaub zu machen?

o) Meine Eltern wohnen _____ Siebengebirge.

p) Sie sind _____ Stadttor in die Stadt gefahren.

q) Wir treffen uns morgen _____ alten Stadttor.

Lektion 2

Nach Übung

3

im Kursbuch

7. „Hinaus", „hinunter", „hinein", „hindurch", „hinüber". Ergänzen Sie.

a) Du kennst bestimmt das alte Stadttor in Linz. Da sind wir _____gefahren.

b) Wir sind vom Eichenberg ins Rheintal _____gefahren.

c) In Leutesdorf mußten wir über den Rhein fahren. Dort gibt es keine Brücke, und wir fuhren deshalb mit einer Fähre _____ .

d) Die Jugendherberge lag auf einem hohen Berg. Deshalb mußten wir abends unsere Fahrräder _____schieben. Dafür konnten wir dann am nächsten Morgen bequem _____fahren.

e) Wir sind durch das Stadttor in die Stadt _____gefahren.

f) Die Burg war geschlossen. Wir konnten leider nicht _____gehen.

g) Hier in der Burg dürfen Sie nicht rauchen. Bitte gehen Sie _____ vor das Burgtor.

Ihre Grammatik. Ergänzen Sie.

Präposition + Nomen	hin + Präposition (= Präpositionalpronomen)
Sie fahren …	Sie fahren …
durch das Stadttor	*hindurch* _____
vom Eichenberg ins Rheintal	_____
über den Rhein	_____
auf den Berg	_____
in die Stadt	_____
aus der Garage nach draußen	_____

Nach Übung

3

im Kursbuch

8. Was paßt zusammen?

a) Warum schiebt ihr denn die Räder?

b) Warum winken die Leute denn?

c) Vor dieser Kurve mußt du unbedingt bremsen!

d) Wohin kommen wir, wenn wir dem Fluß folgen?

e) Hast du heute nacht auch gefroren?

f) Bevor wir zur Burg hinaufsteigen, möchte ich in eine Wirtschaft gehen, etwas trinken und mich ausruhen!

1 Das weiß ich auch nicht. Laß uns mal in die Landkarte schauen.

2 Sei nicht so faul!

3 Der Weg ist zu steil zum Fahren.

4 Ich glaube, sie wollen uns begrüßen.

5 Ganz furchtbar! Das nächste Mal gehen wir in ein Hotel oder in ein Gasthaus!

6 Warum? Bist du da schon mal hingefallen?

Nach Übung

3

im Kursbuch

9. Perfekt mit „haben" oder „sein"?

A. Ergänzen Sie die Sätze.

a) Norbert und Stephan _____ mit dem Rad durch das Rheintal gefahren.

b) Sie _____ abends in der Disco getanzt.

c) Sie _____ nach Stockholm geflogen.

d) Sie _____ viele Postkarten geschrieben.

e) Sie _____ morgens immer früh aufgestanden.

f) Sie _____ die Fahrräder auf den Berg geschoben.

g) Sie _____ gestern spät aufgewacht.

h) Sie _____ in der Jugendherberge gegessen.

i) Sie _____ an die Tür geklopft.

j) Sie _____ ins Wasser gesprungen.

k) Sie _____ die Fähre nicht erreicht.

l) Sie _____ auf die Fähre gewartet.

m) Sie _____ falsch abgebogen.

n) Sie _____ das Hotel um neun Uhr verlassen.

o) Sie _____ auf eine Mauer geklettert.

p) Sie _____ das Auto abgeschleppt.

q) Sie _____ in der Stadt spazierengegangen.

r) Sie _____ einen LKW überholt.

s) Sie _____ im Gebirge gewandert.

t) Sie _____ gestern in die Wohnung eingezogen.

u) Sie _____ das Zimmer abgeschlossen.

v) Sie _____ lange geschlafen.

w) Sie _____ spät eingeschlafen.

x) Sie _____ das Kind aus dem Wasser gezogen.

y) Sie _____ in eine neue Wohnung gezogen.

z) Sie _____ in den Fluß gesprungen.

B. Ordnen Sie die Verben, die das Perfekt mit „sein" bilden.

Bewegung *fahren* _____ _____

_____ _____

_____ _____

_____ _____

_____

Veränderung eines Zustands *aufstehen* _____

_____

_____

10. „Liegen", „legen", „sitzen", „setzen", „stehen", „stellen", „hängen" oder „stecken"?
    Was paßt?

Nach Übung

3

im Kursbuch

a) ○ Hast du die Hemden schon in den Koffer _____ ?

   □ Nein, die _____ noch im Schrank.

b) ○ Wo ist der Haustürschlüssel?

   □ Der _____ im Schloß.

c) ○ Weißt du, wo die Kinder sind?

   □ Die _____ schon im Auto.

d) ○ Wer hat die Campingstühle vor die Tür gestellt?

   □ Ich weiß es nicht. Sie _____ schon seit gestern da.

Lektion 2

e) ○ Ist Peter vom Fußballspielen zurück?
   □ Ja, er _____ schon in der Badewanne.

f) ○ Hast du den Kleinen schon auf die Toilette _____ ?
   □ Nein, er wollte nicht.

g) ○ Sind die Wolldecken im Auto?
   □ Nein, die habe ich gewaschen und zum Trocknen in den Garten _____ .

Nach Übung

3

im Kursbuch

11. Welcher Satz paßt zu welchem Bild?

a) Er stellt das Fahrrad auf den Hof.
b) Das Fahrrad steht auf dem Hof.
c) Er setzt das Kind auf einen Stuhl.
d) Das Kind sitzt auf einem Stuhl.
e) Er legt das Buch auf den Tisch.

f) Das Buch liegt auf dem Tisch.
g) Er hängt die Uhr an die Wand.
h) Die Uhr hängt an der Wand.
i) Er steckt den Brief in den Briefkasten.
j) Der Brief steckt im Briefkasten.

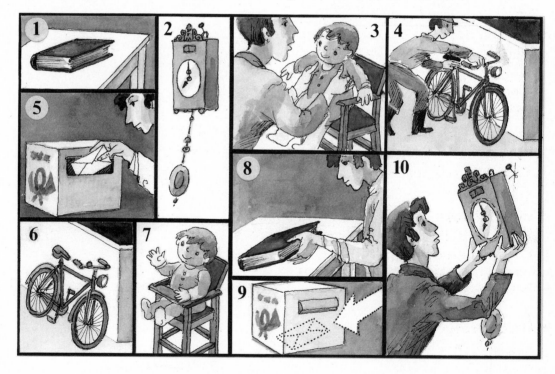

Nach Übung

7

im Kursbuch

12. Was paßt nicht?

a) Ampel: rot – blau – grün – gelb
b) Verkehr: Vorfahrt – Einbahnstraße – Ampel – Burg – Schild – Stau
c) Autobahn: LKW – Auto – Reisebus – Motorrad – Fahrrad
d) Eisenbahn: Zug – Fähre – Bahnhof – Abfahrt – Fahrkarte – Fahrplan
e) Grenze: Mond – Paß – Ausweis – Polizei – Ausland
f) Schloß: König – Kunst – Kultur – Sehenswürdigkeit – Kurve – Tor

13. Welches Verb paßt wo?

Nach Übung

7

im Kursbuch

| stoßen | schieben | eröffnen | regeln | anhalten |
| überqueren | verhaften | abschleppen | zusammenstoßen | |

a) ein Auto von der Straße
    ein Fahrrad auf der steilen Bergstraße | _____

b) ein Auto nach einem Unfall
    ein Fahrzeug, das im Halteverbot steht | _____

c) eine neue Autobahn | _____
    eine Ausstellung
    eine Messe

d) auf der Kreuzung den Verkehr
    ein Problem mit der Versicherung | _____
    die Temperatur an der Heizung

e) jemanden ins Wasser | _____
    ein Glas vom Tisch

f) mit einem anderen Auto
    mit einem Menschen auf der Straße | _____

g) den Fluß auf einer Brücke | _____
    den Marktplatz

h) einen Einbrecher
    einen betrunkenen Autofahrer | _____

i) bei einer Panne ein anderes Auto
    vor dem sich schließenden Bahnübergang | _____
    beim Stoppschild einen Moment ganz

14. Was paßt zusammen?

Nach Übung

7

im Kursbuch

a) fliehen
b) überholen
c) abbiegen
d) bremsen
e) frieren
f) sich verabschieden
g) widersprechen

1 sich kalt fühlen
2 „Auf Wiedersehen" sagen
3 vor jemandem oder etwas weglaufen
4 anderer Meinung sein; etwas dagegen
   sagen
5 an jemandem oder etwas vorbeigehen oder
   vorbeifahren
6 langsamer werden; anhalten
7 zu Fuß oder mit einem Fahrzeug die
   Richtung ändern

Lektion 2

Nach Übung

9

im Kursbuch

15. Definieren Sie die Begriffe.

a) Angstlust (Lust, gefährliches Leben)
Angstlust ist die Lust auf ein gefährliches Leben.

b) Reiselust (Lust, viel reisen)
Reiselust ist die Lust, viel zu reisen.

c) Freizeitmensch (Mensch, nur für die Freizeit leben)
Ein Freizeitmensch ist ein Mensch, der nur für die Freizeit lebt.

d) Freizeitforscher (Wissenschaftler, Freizeit erforschen)
Ein Freizeitforscher ist ein Wissenschaftler, der

e) Autobahnabschnitt (Teil, Autobahn)

f) Wochenendreise (kurze Reise, Samstag und Sonntag)

g) Landschaftszerstörung (Vorgänge, Landschaft kaputtmachen)

h) Industrieland (Land, viel Industrie)

i) Freizeit (Zeit, nicht arbeiten müssen)

j) Zukunftsangst (Angst, Zukunft)

k) Freizeitspaß (Spaß, in der Freizeit)

l) Risikobereitschaft (Bereitschaft, etwas Gefährliches tun)

m) Urlaubszeit (Zeit, die meisten Menschen Urlaub)

Nach Übung

10

im Kursbuch

16. Sagen Sie es anders.

Um Ereignisse, die in der Zukunft liegen, zu beschreiben, kann man im Deutschen das Präsens oder das Futur verwenden.

Im Jahr 2001 ...

a) ... macht ein Drittel der Bevölkerung dauernd Urlaub.
wird ein Drittel der Bevölkerung dauernd Urlaub machen.

b) ... gibt es auf unseren Straßen viel mehr Verkehr als heute.

c) ... geben die Menschen für ihre Freizeit noch viel mehr Geld aus.

d) ... wissen viele Leute nicht, was sie in ihrer Freizeit machen sollen.

e) ... haben die Leute viel mehr Freizeit als heute.

f) ... sind Straßen, Städte, Hotels , Züge, Kinos und Theater wegen der „Massenfreizeit" ständig überfüllt.

g) ... arbeiten die Menschen nur noch dreißig Stunden pro Woche.

h) ... heißt das Motto des Freizeitmenschen wahrscheinlich „Mobil und immer aktiv sein".

17. Das Verb „werden" kann als normales Verb oder als Hilfsverb benützt werden.

Nach Übung

10

im Kursbuch

A. Die Leute   <u>werden</u>   zu Freizeitmenschen.   → („werden" als <u>normales Verb</u>)

B. Die Leute   <u>werden</u>   noch mehr   <u>reisen</u>. → („werden" als <u>Hilfsverb – Futur</u>)

C. Neue Straßen   <u>werden</u>   <u>gebaut</u>. → („werden" als <u>Hilfsverb – Passiv</u>)

Wie wird „werden" in den folgenden Sätzen benützt?

a) Die Menschen werden nicht gefragt.   *Hilfsverb – Passiv* _____

b) Die Menschen werden von Computern kontrolliert. _____

c) Die Menschen werden die Computer kontrollieren. _____

d) Die Menschen werden wie Computer. _____

e) Die Menschen werden mehr Hobbys haben. _____

f) Die Menschen werden zu Warte-Profis. _____

g) Die Menschen werden viel älter als früher. _____

Ihre Grammatik. Stellen Sie die Sätze a) bis g) in die Tabelle.

	Vorfeld	Verb$_1$	Subjekt	Angabe	Ergänzung	Verb$_2$
a)	*Die Menschen*	*werden*		*nicht*		*gefragt.*
b)						
c)						
d)						
e)						
f)						
g)						

18. Wie heißen die Verben?

Nach Übung

11

im Kursbuch

A. Nomen, die aus Verben abgeleitet sind, z. B.:

die Zerstörung   ←   zerstör- + ung   ←   zerstören

a) die Bedrohung   ← *bedrohen* _____   k) die Erinnerung   ← _____

b) die Vorbereitung ← _____   l) die Heizung   ← _____

c) die Prüfung   ← _____   m) die Änderung   ← _____

d) die Wohnung   ← _____   n) die Leistung   ← _____

e) die Versicherung ← _____   o) die Verwaltung   ← _____

f) die Bedienung   ← _____   p) die Meinung   ← _____

g) die Bestellung   ← _____   q) die Entscheidung ← _____

h) die Kündigung   ← _____

i) die Regierung   ← _____

j) die Erfahrung   ← _____

Lektion 2

B. Nomen, die aus Adjektiven abgeleitet sind, z. B.:

die Einsamkeit ← einsam + keit ← einsam

a) die Müdigkeit ← *müde* _____   i) die Ehrlichkeit ← _____
b) die Möglichkeit ← _____   j) die Freundlichkeit ← _____
c) die Pünktlichkeit ← _____   k) die Gemütlichkeit ← _____
d) die Sauberkeit ← _____   l) die Gefährlichkeit ← _____
e) die Wirklichkeit ← _____   m) die Genauigkeit ← _____
f) die Ähnlichkeit ← _____   n) die Häßlichkeit ← _____
g) die Schwierigkeit ← _____   o) die Langsamkeit ← _____
h) die Deutlichkeit ← _____   p) die Notwendigkeit ← _____

Nach Übung
11
im Kursbuch

19. Sagen Sie es anders. Wiederholen Sie das Passiv.

→ Themen neu 2, Arbeitsbuch: Übungen 13–17 auf den Seiten 47–49

A. Suchen Sie in den Sätzen das Subjekt und streichen Sie es durch.
B. Schreiben Sie dann einen Satz im Passiv, der etwa die gleiche Bedeutung hat.

Beispiel: Er meldet den Wagen morgen an.
Der Wagen wird morgen angemeldet.

a) Man treibt heute mehr Sport als früher.
b) Heute kontrolliert man an den Grenzen keine Pässe mehr.
c) Wir überweisen das Geld nächste Woche.
d) Eine Werkstatt in Belgien repariert unser Auto.
e) Heute erledigt man die Steuerformalitäten in den Unternehmen und nicht an der Grenze.
f) Die Zollbeamten sägen den Schlagbaum durch.
g) Wir alle geben in der Freizeit zuviel Geld aus.

Nach Übung
12
im Kursbuch

20. Ihre Grammatik. Wiederholen Sie das Präteritum der Modalverben, indem Sie die Tabelle ergänzen.

	können	dürfen	sollen	müssen	wollen / möchten
ich	*konnte*				
du					
er, sie es, man					
wir					
ihr					
sie, Sie					

21. Sagen Sie es anders. Wiederholen Sie die Nebensätze mit „daß".

→ Themen neu 2, Arbeitsbuch: Übungen 12–15 auf den Seiten 60–61

Beispiel: Die Leute ärgern sich über die zunehmenden Steuern.

Die Leute ärgern sich darüber, daß die Steuern zunehmen.

Nach Übung

14

im Kursbuch

a) Ich habe Angst vor steigenden Preisen.
b) Viele Firmen klagen über die zunehmende Bürokratie in Europa.
c) Wir sind mit der Erhöhung der Preise im nächsten Jahr nicht einverstanden.
d) Die meisten Leute kritisieren die Erhöhung der Steuern.
e) Ich bin froh über die Änderung der Steuergesetze.
f) Die Bevölkerung erwartet eine Verbesserung der Situation.
g) Seine Entscheidung für diese Firma habe ich nicht verstanden.
h) Ich hoffe auch in Zukunft auf eine stabil bleibende Mark.

22. Welche Sätze haben praktisch dieselbe Bedeutung?

Nach Übung

15

im Kursbuch

a) Ⓐ Ich fände es besser, eine Fahrradtour zu machen.
   Ⓑ Ich möchte lieber eine Fahrradtour machen.
   Ⓒ Ich möchte gern eine Fahrradtour machen.

b) Ⓐ Ich schlage vor, eine Fahrradtour zu machen.
   Ⓑ Ich ziehe es vor, eine Fahrradtour zu machen.
   Ⓒ Wir sollten eine Fahrradtour machen.

c) Ⓐ Ich muß eine Fahrradtour machen.
   Ⓑ Ich habe Lust, eine Fahrradtour zu machen.
   Ⓒ Ich würde gern eine Fahrradtour machen.

d) Ⓐ Wir könnten eine Fahrradtour machen.
   Ⓑ Ich habe eine Idee. Wir machen eine Fahrradtour.
   Ⓒ Eine Fahrradtour fände ich besser.

e) Ⓐ Ich bin dafür, eine Fahrradtour zu machen.
   Ⓑ Mir wäre es lieber, wenn wir eine Fahrradtour machen würden.
   Ⓒ Ich würde eine Fahrradtour vorziehen.

f) Ⓐ Ich weiß was: Wir machen eine Fahrradtour!
   Ⓑ Ich würde viel lieber eine Fahrradtour machen.
   Ⓒ Wenn du Lust hast, können wir ja eine Fahrradtour machen.

g) Ⓐ Müssen wir denn wirklich eine Fahrradtour machen?
   Ⓑ Wir könnten doch auch etwas anderes machen!
   Ⓒ Ich habe nicht gewußt, daß wir eine Fahrradtour machen.

h) Ⓐ Hast du gefragt, ob wir eine Fahrradtour machen?
   Ⓑ Eine Fahrradtour kommt gar nicht in Frage.
   Ⓒ Ich bin ganz dagegen, eine Fahrradtour zu machen.

Lektion 2

Nach Übung

19

im Kursbuch

23. Sagen Sie es anders.

Ich mag <u>keine Campingplätze</u>.   *Campingplätze mag ich nicht.*

Man kann Satzteile im Deutschen dadurch betonen, daß man sie ins Vorfeld stellt. Achtung: Eine Negation mit „kein" ist dann nicht möglich; man muß stattdessen mit „nicht" verneinen.

Bei Sätzen mit Modalverb kann man auch den Infinitiv (Verb$_2$) an den Satzanfang stellen:

Man kann auch zu Hause <u>radfahren</u>.   *Radfahren kann man auch zu Hause.*

a) Ich finde <u>Urlaub im Zelt</u> zu unbequem.

b) Wir wollen in einem Hotel <u>übernachten</u>.

c) Sie können <u>in unserem Hotel</u> auch frühstücken.

d) Ich werde <u>auf Schiffsreisen</u> immer seekrank.

e) Sie brauchen <u>kein schweres Gepäck</u> zu tragen.

f) Es gibt <u>keine freien Plätze</u> mehr.

g) Sie können mit Scheck oder Kreditkarte <u>bezahlen</u>.

h) Sie müssen <u>Ihren Paß</u> nicht mitnehmen.

Nach Übung

19

im Kursbuch

24. Was können Sie auch sagen?

a) Was ist Ihre Muttersprache?
   - A In welcher Sprache sprechen Sie mit Ihrer Mutter?
   - B Wie sprechen Sie mit ihrem Kind?
   - C Mit welcher Sprache sind Sie aufgewachsen?

b) Im Kofferraum liegen ein Dutzend Flaschen Rotwein.
   - A Es sind zwölf Flaschen Wein im Kofferraum.
   - B Im Koffer sind zehn Flaschen Wein.
   - C Es sind noch einige Flaschen Wein im Keller.

c) Ich hasse lange Autofahrten.
   - A Ich bin gern lange mit dem Auto unterwegs.
   - B Ich finde lange Autofahrten entsetzlich.
   - C Ich fürchte mich im Auto.

d) Wir bleiben dieses Jahr ausnahmsweise zu Hause.
   - A Wir machen sonst immer eine Urlaubsreise, aber dieses Jahr nicht.
   - B Wir machen wie immer zu Hause Urlaub.
   - C Wir verbringen unseren Urlaub am liebsten zu Hause.

e) Ich sitze gern am Strand und beobachte die Leute.
   - A Ich gehe zum Strand, um auf die Leute aufzupassen.
   - B Am Strand sehe ich gerne zu, was die Leute so machen.
   - C Wenn ich am Strand bin, beachte ich die anderen Leute nicht.

f) Im Urlaub kriege ich immer einen Sonnenbrand.
   - A Ich kann im Urlaub die Hitze nicht vertragen.
   - B Im Urlaub verbrennt mir die Sonne immer die Haut.
   - C Ich werde im Urlaub immer schön braun.

Kernwortschatz

Verben

aufgeben 39
ausführen 37
ausrechnen 41
bedienen 33
behandeln 33
beraten 33
beruhigen 41
beschäftigen 33
besorgen 40
einstellen 35

entlassen 38
erlauben 34
gefallen 34
handeln 39
herstellen 33
interessieren 40
kontrollieren 37
leiten 35
nähen 37
planen 40

produzieren 37
protestieren 38
reisen 34
scheinen 39
streiken 38
trampen 34
treten 38
übernehmen 37
übersetzen 41
verdienen 40

vergessen 37
verkaufen 33
verteilen 40
verursachen 39
vorbereiten 34
zusammenarbeiten 41
zusammenstellen 37

Nomen

r Abfall, ⸚e 40
e Abteilung, -en 39
e Änderung, -en 37
s Angebot, -e 39
e / r Angestellte, -n 38
e Arbeit, -en 33
r Arbeiter, - 38
r Arbeitgeber, - 38
r Arbeitnehmer, - 38
e Arbeitszeit, -en 33
r Aufenthalt, -e 34
e Ausbildung, -en 50
r Ausländer, - 41
e Ausstellung, -en 40
r Bäcker, - 34
r Bauer, -n 32
r Beamte, -n 33
r Bedarf 39
e Beschäftigung, -en 38
r Betrieb, -e 39
r Betriebsrat, ⸚e 38
e Bewegung, -en 41
e Beziehung, -en 35

r Chef, -s 39
r Einfluß, Einflüsse 40
e Entwicklung, -en 35
e Erklärung, -en 38
s Ersatzteil, -e 39
e Existenz 39
r Facharbeiter, - 39
r Fachmann, Fachleute 41
e Farbe, -n 33
r Feiertag, -e 41
e Gebrauchsanweisung, -en 41
e Gelegenheit, -en 41
e Gewerkschaft, -en 38
r Gewinn, -e 38
r Handel 33
r Handwerker, - 33
e Hausfrau, -en 32
e Hose, -n 34
e Industrie, -n 33
r Ingenieur, -e 41
e Kälte 41
s Kapital 39

e Kellnerin, -nen 32
e Kneipe, -n 39
r Knopf, ⸚e 37
r Kollege, -n 26
e Kollegin, -nen 32
e Kontrolle, -n 40
r Krach 39
r Kredit, -e 39
e Krise, -n 38
e Kritik, -en 38
e Lehre, -n 33
r Lohn, ⸚e 38
r Maler, - 32
s Maß, -e 35
s Material, -ien 37
s Metall, -e 33
r Mißerfolg, -e 39
r Mitarbeiter, - 37
s Mitglied, -er 34
e Mode, -n 41
e Nachfrage 41
s Nahrungsmittel, - 40
e Öffentlichkeit 41
r Passagier, -e 38
r Patient, -en 41
r Polizist, -en 32
e Produktion 38

e Rechnung, -en 35
e Reklame 41
r Schaden, ⸚ 41
e Sekretärin, -nen 32
r Soldat, -en 32
r Staat, -en 34
e Station, -en 34
e Stelle, -n 34
e Stellung, -en 39
r Stoff, -e 37
r Streik, -s 38
s Studium 33
e Tätigkeit, -en 33
e Technik, -en 40
e Toilette, -n 41
e Universität, -en 40
e Verantwortung 41
r Verlust, -e 34
s Vertrauen 39
r Vertreter, - 37
e Verwaltung, -en 33
s Werk, -e 38
r Westen 34
e Wirtschaft 40
e Wissenschaft, -en 40

Lektion 3

Kerngrammatik

Passiv Perfekt (§ 23a)

Alle wichtigen Kunden <u>sind</u> schon vor zwei Wochen <u>eingeladen worden</u>.
Viele Kleider <u>sind bestellt worden</u>.
Bei einem Kleid <u>ist</u> das Etikett <u>vergessen worden</u>.

Zustandspassiv (§ 23b)

Das Modellkleid <u>ist genäht</u>.
Die Kollektion <u>ist fertiggestellt</u>.
Der Stoff <u>ist zugeschnitten</u>.

Nomen aus Verben (§ 2)

-<u>ung</u>	Abteilung	Entlassung	Lösung	Stellung
	Begründung	Erklärung	Meinung	Verantwortung
	Beschäftigung	Geschäftsleitung	Rationalisierung	Voraussetzung
	Bezahlung	Kundgebung	Sozialleistung	
-er	Arbeitnehmer	Arbeitgeber	Mitarbeiter	Vertreter
-tion	Produktion	Demonstration		
–	Abbau	Vorschlag		

Adjektive aus Nomen (§ 4)

-lich	staatlich	unterschiedlich	jugendlich
	handwerklich	zusätzlich	
-ig	selbständig		

-isch	ausländisch
	chemisch

Besetzung des Nachfelds (§ 34)

Das würde ich auch tun <u>unter diesen Voraussetzungen</u>.
Er hat ein Angebot bekommen <u>von einer anderen Firma</u>.
Das hätte ich aber nicht getan <u>an seiner Stelle</u>.

1. Zwei Nomen in jeder Reihe passen nicht. Schreiben Sie den Beruf hinter jede Reihe.

Nach Übung

1

im Kursbuch

Sekretärin   Friseur   Soldat   Bäcker   Kellnerin   Bauer   Feuerwehrmann   Polizistin   Lehrerin   Pfarrer

a) Haare, Bart, Bein, Haarbürste, Spiegel, Schere, Gabel: _____ _____

b) Brot, Brötchen, Mehl, Wurst, Kuchen , Salat, Backofen: _____ _____

c) Bedienung, Speisekarte, Trinkgeld, Restaurant, Apotheke, Garage: _____ _____

d) Gesetz, Kontrolle, Winter, Verbrecher, Gewitter, Einbrecher: _____ _____

e) Gefahr, Wasser, Feuer, Seife, Hilfe, Ofen: _____ _____

f) Landwirt, Boden, Fabrik, Stall, Hof, Vieh, Industrie: _____ _____

g) Schule, Prüfung, Fieber, Beamtin, Note, Konzert, Unterricht: _____ _____

h) Kirche, Gott, Museum, Religion, Sonntag, Montag, Himmel: _____ _____

i) Angestellte, Betrieb, Kundin, Büro, Radio, Firma, Schreibmaschine: _____ _____

j) Krieg, Tod, Feind, Militär, Möbel, Meer, Armee, Politik: _____ _____

2. Richtig oder falsch?

Nach Übung

3

im Kursbuch

	richtig	falsch
a) Eine Ärztin behandelt kranke Menschen.		
b) Eine Autorin repariert kaputte Autos.		
c) Ein Bäcker backt Brot und Kuchen.		
d) Ein Bauer baut Häuser und Straßen.		
e) Eine Beamtin ist beim Staat angestellt.		
f) Eine Fotografin produziert Fotoapparate.		
g) Ein Friseur braucht keine besondere Ausbildung.		
h) Ein Handwerker arbeitet meistens am Schreibtisch.		
i) Eine Hausfrau arbeitet für die eigene Familie.		
j) Ein Ingenieur kann als Selbständiger oder als Angestellter arbeiten.		
k) Eine Journalistin arbeitet als Angestellte in einem Zeitschriftenladen.		
l) Ein Kellner bedient Gäste in einem Restaurant.		
m) Eine Krankenschwester arbeitet im Krankenhaus.		
n) Ein Lehrer muß eine Lehre machen, bevor er Schüler unterrichten darf.		
o) Ein Lehrling ist ein junger Lehrer.		
p) Eine Maklerin braucht man, wenn man eine Wohnung oder ein Haus sucht.		
q) Ein Maler malt Wände und Türen mit Farbe an.		
r) Ein Mechaniker arbeitet mit Holz und Papier.		
s) Ein Metzger berät Menschen bei juristischen Problemen.		
t) Eine Musikerin verkauft Musikinstrumente.		
u) Ein Professor unterrichtet Studenten an der Universität.		
v) Ein Regisseur sagt den Schauspielern, wie sie spielen sollen.		
w) Eine Reiseleiterin verkauft Reisen in einem Reisebüro.		
x) Eine Schriftstellerin bedient die Kunden in einer Buchhandlung.		
y) Ein Tankwart bringt den Leuten jeden Tag die Post.		
z) Ein Verkäufer berät und bedient Kunden in einem Geschäft.		

Lektion 3

Nach Übung

5

im Kursbuch

3. Wiederholung: Die Verbformen für das Präteritum. Ergänzen Sie die Sätze.

→ Themen neu 2, Kursbuch: Seite 67–71; Arbeitsbuch: Übung 16 auf Seite 62–63 und Übung 20 auf Seite 65

Lesen Sie den Reisebericht von Jens Brinkmann:

Herausragend (sein) _____(1) mit Sicherheit der Aufenthalt in Afrika, wo wir in Gabun (mithelfen) _____(2) , eine Kirche zu bauen. Aber der Reihe nach:

Mein Mitgeselle Carsten Obermayer und ich (beginnen) _____(3) unsere Wanderschaft in Albstadt. Zweieinhalb Monate (bauen) _____(4) wir dort an einem großen Ärztehaus mit. Dann (trennen)_____(5) wir uns. Ich (trampen) _____(6) über Koblenz nach Berlin. Dort (einreisen)_____(7) ich in die DDR _____ , den zweiten deutschen Staat, den es damals ja noch (geben) _____(8). Ich (bleiben) _____(9) zwei Wochen dort. Dann (gehen)_____(10) es weiter nach Luxemburg und danach über Straßburg nach Rottweil und Schaffhausen, wo es mir besonders gut (gefallen) _____(11).

Die nächsten Stationen (sein) _____(12) Nürnberg, Amberg und schließlich Basel. Hier (treffen) _____(13) ich meinen Kameraden Carsten wieder. In einer Zeitung (lesen) _____(14) wir eine Anzeige, mit der ein Bauunternehmer für ein Projekt in Westafrika Facharbeiter (suchen) _____(15). Wir (melden) _____(16) uns, (unterschreiben) _____(17) einen Vertrag und (ankommen) _____(18) am 28. September 1991 mit dem Flugzeug in Afrika _____ .

Ich (arbeiten) _____(19) als Bauleiter. Die Bauarbeiter dort (sprechen) _____(20) Französisch, eine Sprache, die ich am Anfang nicht (verstehen) _____(21), die ich aber schnell (lernen) _____(22).

Gebaut (werden) _____(23) eine katholische Kirche. Der Bauunternehmer, der uns (bezahlen) _____(24), war Schweizer. Außer an dem Gotteshaus (bauen) _____(25) wir auch an einem Palast für den Präsidenten. El Hadsch Omar Bongo (heißen) _____(26) der Mann. Nach vier Monaten (fliegen) _____(27) wir wieder zurück nach Europa. Dort (finden) _____(28) ich Arbeit im Allgäu und (machen) _____(29) einen Restauratorkurs in Fulda. Die letzte Station (sein) _____(30) die Insel Amrum vor der deutschen Nordseeküste. Dort (bieten) _____(31) man mir eine feste Stelle und eine Wohnung. Ich wäre gern geblieben, aber ich (müssen) _____(32) nach Hause. Mein Vater (warten) _____(33) nämlich auf mich, weil er in seiner Zimmerei dringend Hilfe (brauchen) _____(34).

Nach Übung

5

im Kursbuch

4. Ihre Grammatik: Ordnen Sie die Verben aus Übung 3.

A. Regelmäßige Verben

Präteritum auf „-te":
bauen – baute – hat gebaut

_____   _____
_____   _____
_____   _____
_____   _____

Präteritum auf „-ete":

melden – meldete – hat gemeldet

_____

B. Unregelmäßige Verben

Präteritum mit „a":   Präteritum mit „i" oder „ie":

sein – war – ist gewesen

Präteritum mit „o":

Präteritum mit „u":

---

5. Wiederholung: Zeitangaben. Ergänzen Sie mit den Präpositionen und, wo nötig, mit dem Artikel.

Nach Übung

5

im Kursbuch

| an | bis | nach | in | seit | von ... bis ... | während |

a) _____ 1990 _____ 1992 war Jens Brinkmann auf Wanderschaft.

b) Das Beste _____ _____ drei Jahren war die Kameradschaft untereinander.

c) _____ _____ ersten Monaten half Jens beim Bau eines Ärztehauses.

d) _____ _____ Bau des Ärztehauses trampte er über Koblenz und Berlin nach Leipzig.

e) _____ _____ Wanderschaft in Europa dürfen Zimmermannsgesellen nur trampen oder zu Fuß gehen.

f) _____ September 1990 reiste Jens Brinkmann in die DDR. Er reiste aber nicht wieder aus, weil es die DDR _____ _____ 3. Oktober 1990 nicht mehr gibt.

g) _____ Jahr 1991 arbeitete er vier Monate in Afrika.

h) _____ 28. September flog er nach Gabun. Dort blieb er _____ Januar 1992.

i) _____ _____ Reise nach Gabun war er in Nürnberg, Amberg und Basel.

j) _____ drei Jahren und elf Tagen kam er nach Hause zurück.

k) _____ Juli 1993 arbeitet er wieder in der Zimmerei seines Vaters.

Lektion 3

Nach Übung

7

im Kursbuch

6. Sagen Sie es anders. Verwenden Sie die Präpositionalpronomen „daran", „darauf", „darüber", „davon", „davor" und „dabei".

a) Herr Bong rät den jungen Leuten von dem Beruf des Schreiners ab. (Beruf lernen)

   Herr Bong rät den jungen Leuten davon ab, den Beruf des Schreiners zu lernen.

b) Herr Bong hat Freude an der Herstellung von Möbeln. (Möbel herstellen)

   Herr Bong

c) Ich habe mich über die lange Wartezeit geärgert. (lange warten müssen)
d) Ich habe dich ja vor dem Kauf dieses Autos gewarnt. (dieses Auto kaufen)
e) Jens hat mir beim Bau meines Hauses geholfen. (Haus bauen)
f) Ich habe ihn gestern auf dieses Problem hingewiesen. (hier ein Problem haben)

Nach Übung

9

im Kursbuch

7. Welcher Satz sagt das gleiche?

a) Sie war zweieinhalb Jahre im Ausland.
   A Sie war dreißig Monate im Ausland.
   B Sie war zweimal ein halbes Jahr im Ausland.

b) Er darf maximal vier Monate im Ausland bleiben.
   A Er darf auf jeden Fall vier Monate im Ausland bleiben.
   B Er darf höchstens vier Monate im Ausland bleiben.

c) Er ist von Berlin nach Leipzig getrampt.
   A Er ist per Anhalter von Berlin nach Leipzig gefahren.
   B Er ist zu Fuß von Berlin nach Leipzig gelaufen.

d) Die Handwerker haben außer einer Kirche auch einen Palast gebaut.
   A Die Handwerker haben nicht nur eine Kirche, sondern auch einen Palast gebaut.
   B Die Handwerker haben eine Kirche gebaut, die wie ein Palast aussieht.

e) Er hatte immer eine gute Beziehung zu seinen Arbeitskollegen.
   A Er hat sich immer gut mit seinen Kollegen verstanden.
   B Er und seine Kollegen haben viel Geld verdient.

f) In dieser Schreinerei werden Möbel nach Maß gebaut.
   A Hier werden Möbel in der besten Qualität gebaut, die technisch möglich ist.
   B Hier werden Möbel speziell nach den Wünschen der Kunden gebaut.

g) Während der Wanderschaft ist für Zimmermannsgesellen kein eigenes Auto erlaubt.
   A Während der Wanderschaft haben Zimmermannsgesellen kein Geld für ein eigenes Auto.
   B Während der Wanderschaft dürfen Zimmermannsgesellen kein eigenes Auto haben.

8. Wiederholung: Zahlen.

Nach Übung

9

im Kursbuch

a) Zweihundertvierundsiebzig und siebenhundertdrei
   sind neunhundertsiebenundsiebzig.   *274 + 703 = 977*

b) Vierhundertachtundsechzig und achthundertzwanzig
   sind eintausendzweihundertachtundachtzig.   _____

c) Einhundertsiebzehn und fünfhundertneunundneunzig
   sind sechshundertsechsundvierzig.   _____

d) Zweitausendzweihundertachtunddreißig und fündundneunzig
   sind zweitausenddreihundertdreiunddreißig.   _____

e) Fünfzigtausenddreihundertzehn und viertausendsiebenhundert
   sind fünfundfünfzigtausendzehn.   _____

f) Ein Million zweihundertfünfzigtausend und dreihundertvierundsiebzig-
   tausend sind eine Million sechshundertvierundzwanzigtausend. _____

9. Ergänzen Sie die Sätze mit den Nomen.

Nach Übung

9

im Kursbuch

| Arbeitszeit | Aufenthalt | Ausbildung | Entwicklung | Facharbeiter |

a) Die technische _____ hat den Beruf des Schreiners sehr verändert. Früher
   wurde nur mit einfachen Wekrzeugen gearbeitet; heute gibt es schon computergesteuerte
   Maschinen.

b) Nur wer eine gute _____ hat, kann später im Beruf Karriere machen.

c) Die Firma sucht noch einen _____ für die Montageabteilung.

d) Ein Bäcker muß morgens sehr früh aufstehen. Wegen dieser unangenehmen
   _____ wollen kaum noch junge Leute diesen Beruf lernen.

e) Jens Brinkmann wird seinen _____ in Afrika sicher nie vergessen.

10. Ihre Grammatik. Ergänzen Sie.

Nach Übung

11

im Kursbuch

→ Themen neu 2, Kursbuch: Seite 52–53; Arbeitsbuch: Übungen 13 bis 17 auf den Seiten 47–49

	Präsens	Präteritum	Perfekt
ich	*werde geprüft*	*wurde geprüft*	*bin geprüft worden*
du			
er / sie / es / man			
wir			
ihr			
sie / Sie			

Lektion 3

Nach Übung

11

im Kursbuch

11. Sagen Sie es anders.

A. Bilden Sie Sätze im Passiv Präsens.

Zuerst macht man Musterzeichnungen für Modellkleider.

Zuerst werden Musterzeichnungen für Modellkleider gemacht.

a) Nach den Musterzeichnungen näht man Modellkleider.
b) Die Modellkleider zeigt man den Kunden auf einer Modenschau.
c) Nach der Modenschau entscheidet man, welche Kleider man produziert.
d) Zuerst schneidet man aus den Stoffen die Einzelteile.
e) Dann nähen die Näherinnen die Einzelteile am Fließband zusammen.
f) Danach prüft man die Qualität der fertigen Kleider.
g) Jetzt muß man die fertigen Kleider bügeln.
h) Zum Schluß packt man die Kleider in Kartons und schickt sie zu den Kunden.

B. Schreiben Sie die Sätze a) bis h) im Präteritum.

Zuerst wurden Musterzeichnungen für Modellkleider gemacht.

C. Schreiben Sie die Sätze a) bis h) im Perfekt.

Zuerst sind Musterzeichnungen für Modellkleider gemacht worden.

Nach Übung

11

im Kursbuch

12. Sagen Sie es anders.

Man muß das Kleid bügeln. *Das Kleid muß gebügelt werden.*

a) Man darf den Pullover nicht chemisch reinigen.
b) Man sollte die Stoffqualität vor dem Kauf genau prüfen.
c) Man muß das Kleid ändern.
d) Man kann das Hemd auch ohne Krawatte tragen.
e) Kann man das Kleid in der Waschmaschine waschen?
f) Kann man die Hose kürzer machen?

Nach Übung

11

im Kursbuch

13. Beschreiben Sie den Vorgang und das Ergebnis.

Ich habe den Pullover heute vormittag gewaschen.

Der Pullover ist heute vormittag gewaschen worden.
Jetzt ist der Pullover gewaschen.

a) Man hat die Wohnung letzte Woche renoviert.
b) Man hat das Auto gestern repariert.
c) Man hat die Türen vor wenigen Tagen neu gestrichen.
d) Jemand hat die Wohnung gestern aufgeräumt.
e) Wir haben die Fehler korrigiert.
f) Hat man die Rechnung schon bezahlt?

14. Ihre Grammatik. Ergänzen Sie.

Nach Übung

11

im Kursbuch

a) Wir versichern das Gebäude natürlich gegen Feuer.
b) Das Gebäude wird natürlich gegen Feuer versichert.
c) Wir müssen das Gebäude natürlich gegen Feuer versichern.
d) Das Gebäude muß natürlich gegen Feuer versichert werden.
e) Wir haben das Gebäude natürlich gegen Feuer versichert.
f) Das Gebäude ist natürlich gegen Feuer versichert worden.
g) Das Gebäude ist natürlich gegen Feuer versichert.

	Vorfeld	Verb$_1$	Subj.	Ergänzung	Angabe	Ergänzung	Verb$_2$	
a)	Wir	versichern						
b)								
c)								
d)								
e)								
f)								
g)								

15. Wiederholung: Wortschatz. Was ist in der Zeichnung anders? Korrigieren Sie die Zeichnung.

Nach Übung

11

im Kursbuch

Tina Huber, 5 Jahre alt:

Maria Huber, 9 Jahre alt:

kurze Haare!

mein Papa

Mein Papa

Mein Papa hat ein rundes Gesicht. Seine Haare sind kurz, und seine Nase auch. Er trägt immer eine Brille. Sein rechtes Ohr ist etwas größer als sein linkes. Er hat einen kurzen Bart, aber drum herum rasiert er sich trotzdem. Dann schneidet er sich, und dann hat er ein Pflaster im Gesicht. Mein Papa trägt immer einen Anzug mit Krawatte und einen Hut. Er hat nur schwarze Schuhe. Und er hat immer eine Aktentasche in der Hand. Mein Papa raucht schon seit 5 Jahren nicht mehr!

Lektion 3

Nach Übung

11

im Kursbuch

16. Wiederholung: Wortschatz. Welche Kleidung tragen Männer, welche Kleidung tragen Frauen? Was können beide tragen?

	Männer	Frauen	beide			Männer	Frauen	beide
a) eine Bluse					h) eine Krawatte			
b) eine Hose					i) einen Pullover			
c) einen Anzug					j) ein Hemd			
d) ein Kleid					k) Unterwäsche			
e) einen Mantel					l) ein Kostüm			
f) einen Rock					m) Strümpfe			
g) Schuhe								

Nach Übung

11

im Kursbuch

17. Neuer Wortschatz. In dieser Übung können Sie die Bezeichnungen für weitere Kleidungsstücke lernen.
(Wenn etwas unklar bleibt: → Lösungsschlüssel hinten im Buch. Sie können natürlich auch ein Wörterbuch benützen.)

Badeanzug	Sandalen	Badehose	Bikini	Kniestrümpfe	Jeans	Turnschuhe
Strumpfhose	Stöckelschuhe	Socken	Hosenrock	Weste	Nachthemd
Büstenhalter	Schlafanzug	Hausschuhe	Hosenanzug	Unterhose	T-Shirt

a) Leichte, offene Schuhe für Männer und Frauen, die bei warmem Wetter getragen werden.   *die* _____

b) Badekleidung aus zwei Teilen für Frauen.   _____

c) Bequeme Schuhe aus Stoff oder Leder, die nur in der Wohnung getragen werden.   _____

d) Hose aus Amerika, die auf der ganzen Welt bekannt ist und die vor allem von jungen Leuten getragen wird.   _____

e) Unterwäsche, die nur von Frauen getragen wird. Wird meistens nur mit der Abkürzung bezeichnet: „BH".   _____

f) Dünne Beinkleider für Frauen. Wird meistens zu einem Rock oder einem Kleid getragen.   _____

g) Einteilige Schwimmkleidung für Frauen.   _____

h) Schuhe mit hohen Absätzen für Frauen. Es ist nicht ganz einfach, darin zu gehen.   _____

i) Jacke ohne Ärmel, die von Männern und Frauen getragen wird.   _____

j) Unterwäsche für Männer und Frauen. Ein moderneres Wort dafür ist „Slip".   _____

k) Strümpfe, die am Knie enden. Sie werden vor allem von Kindern getragen.   _____

l) Wäsche, die man zum Schlafen anzieht und die aus einer Hose und einem Oberteil besteht.   _____

m) Einfaches, dünnes Hemd aus Baumwolle, mit kurzen Ärmeln, meist ohne Kragen und ohne Knöpfe. Ist bei jungen Leuten sehr beliebt. _____ _____

n) Schwimmkleidung für Männer. _____ _____

o) Modisches Kleidungsstück für Frauen. Geschnitten wie eine Hose, aber weit wie ein Rock. _____ _____

p) Fußbekleidung, eigentlich für den Sport. Wird aber von vielen Jugendlichen ständig getragen. _____ _____

q) Kurze Strümpfe, die nur den Fuß bedecken. _____ _____

r) Jacke mit passender Hose für Frauen. Dazu wird meistens eine Bluse getragen. _____ _____

s) Einteiliges Wäschestück, das man zum Schlafen anzieht. Wird mehr von Frauen als von Männern getragen. _____ _____

18. Sagen Sie es anders.

Nach Übung **11** im Kursbuch

Mit einigen Verben kann man Passivsätze ohne Subjekt bilden.

Man hat mir gekündigt.
Mir ist gekündigt worden.

Man diskutierte lange über das Problem.
Über das Problem wurde lange diskutiert.

a) Man hat ihr geschrieben.
b) Man hat ihnen nicht geantwortet.
c) Man demonstrierte gegen die neuen Gesetze.
d) Man spricht über dich.
e) Man hat über unseren Chef viel gelacht.
f) Man kämpfte lange für höhere Löhne.
g) Glaubte man der Frau?
h) Konnte man den Leuten helfen?
i) Die Gewerkschaft hat gegen die Entlassungen protestiert.
j) Niemand hat ihm für seine Mühe gedankt.

19. Was können Sie auch sagen?

Nach Übung **14** im Kursbuch

a) Das kann er sich doch gar nicht leisten!
　Ⓐ Dazu ist er viel zu dumm!
　Ⓑ Dazu fehlt ihm doch das Geld!
　Ⓒ Dazu ist er doch viel zu jung!

b) Ist der denn wahnsinnig?
　Ⓐ Ist der vielleicht krank?
　Ⓑ Hat der immer so gute Ideen?
　Ⓒ Ist der verrückt geworden?

c) Er hat immer Ärger mit seinem Chef.
　Ⓐ Er streitet sich oft mit seinem Chef.
　Ⓑ Mit seinem Chef hat er keine Probleme.
　Ⓒ Er ärgert sich immer, weil er einen Chef hat.

d) Dazu hätte ich nicht den Mut!
　Ⓐ Dazu würde mir die Energie fehlen.
　Ⓑ Ich hätte Angst, das zu tun.
　Ⓒ Dazu hätte ich gar keine Lust.

e) Hat er denn die Mittel, sich selbständig zu machen?
　Ⓐ Ist er denn groß genug, um sich selbständig zu machen?
　Ⓑ Hat er denn die Macht, sich selbständig zu machen?
　Ⓒ Hat er denn genügend Kapital, um sich selbständig zu machen?

f) Ich kann ja erst mal einen Kredit aufnehmen.
Ⓐ Für den Anfang kann ich mir ja Geld von der Bank leihen.
Ⓑ Zuerst versuche ich mal, Geld zu sparen.
Ⓒ Ich werde zuerst mal Arbeitslosengeld beantragen.

g) Mit welcher Begründung hat man dir gekündigt?
Ⓐ Zu welchem Termin hat man dir gekündigt?
Ⓑ Warum ist dir gekündigt worden?
Ⓒ Wer hat dir eigentlich gekündigt?

h) Die Abteilung hat sich nicht mehr gelohnt.
Ⓐ In dieser Abteilung haben die Arbeiter keinen Lohn mehr bekommen.
Ⓑ Der Stundenlohn in dieser Abteilung war zu niedrig.
Ⓒ Die Abteilung hat nicht mehr genug Geld gebracht.

Nach Übung

14

im Kursbuch

20. Schreiben Sie die Sätze mit „normaler" Satzstellung.

Vorfeld	Verb$_1$	Subjekt	Erg.	Angabe	Erg.	Verb$_2$	Nachfeld
Ich	hätte		das	an seiner Stelle nicht		getan.	
Ich	hätte		das	nicht		getan	an seiner Stelle.
Das	hätte	ich		an seiner Stelle nicht		getan.	
Das	hätte	ich		nicht		getan	an seiner Stelle.
An seiner Stelle	hätte	ich	das	nicht		getan.	

Einige Satzteile können <u>hinter</u> der Position *Verb2* im *Nachfeld* stehen. Das gilt besonders für *Orts-* und *Richtungsangaben* und für *präpositionale Ausdrücke*. (Siehe auch § 34 im Grammatikanhang des Kursbuchs auf Seite 145.)

a) Er hat immer Krach gehabt mit seinen Kolleginnen und Kollegen.
   Er hat mit seinen Kolleginnen und Kollegen immer Krach gehabt.

b) Er hat sich sehr gefreut über seinen Erfolg.
   Er hat sich über seinen Erfolg sehr gefreut.

c) Er hat mit Ersatzteilen gehandelt im Ausland.

d) Er hat sich beschwert über die schlechte Qualität.

e) Er ist Taxi gefahren in Köln.

f) Ich würde das auch tun unter diesen Umständen.

g) Man hat das ganze Werk geschlossen wegen zu hoher Verluste.

h) Er hat erst gestern angefangen mit der Arbeit.

i) Er hat immer Ärger gehabt mit seinen Arbeitskollegen.

j) Ich werde den Vertrag nicht verlängern unter diesen Umständen.

21. Attribut mit „von" oder Attribut im Genitiv?

Nach Übung

15

im Kursbuch

A. Von Nomen, die keinen Artikel haben, läßt sich kein Genitiv bilden. Statt des Attributs im Genitiv wird in diesen Fällen ein Attribut mit „von" (+ Dativ) benützt. (→ Themen neu 1, Kursbuch: § 4 auf Seite 129)

Meine Aufgabe ist die Kontrolle <u>von Mülldeponien</u>.
Die Vermeidung <u>von Abfall</u> wird immer wichtiger.

B. Bei Personennamen wird der Genitiv ebenfalls oft vermieden; stattdessen benützt man auch hier „von" mit dem Personennamen im Dativ. (→ Themen neu 2, Kursbuch: § 4 auf Seite 131)

Der Mülleimer von Hans ist jede Woche ganz voll.

Genitiv oder „von" + Dativ? Ergänzen Sie die folgenden Satzanfänge.

a) *Schirmfabrik entläßt 400 Mitarbeiter*
Die Entlassung *von 400 Mitarbeitern* bei der Schirmfabrik Sommerau wird ...

b) *Armbruster KG verschiebt die Modenschau*
Die Verschiebung *der Modenschau* bei der Armbruster KG hat ...

c) *Farbenfabrik verwendet Gift für Wandfarben*
Die Verwendung _____ bei der Farbenfabrik in Rothenturm ist ...

d) *Stadtrat will Lärm vermeiden*
Die Vermeidung _____ ist für den Stadtrat eines der wichtigsten Ziele ...

e) *Stahlwerk: Die Arbeiter wollen einen Streik*
Der Streik _____ im Stahlwerk ist wohl nicht mehr zu verhindern ...

f) *Herbert Fuchs will Firmenwagen nicht zurückgeben*
Der Firmenwagen _____, dem Geschäftsführer der Wecker AG in ...

g) *Ein Angestellter rettet die Quadro GmbH*
Die Erfindung _____ brachte der Quadro GmbH Millionen: Der ...

h) *Sauer AG will die Produktion um 50 % erhöhen*
Eine Erhöhung _____ um 50 % soll bei der Sauer AG in drei Jahren ...

Lektion 3

Nach Übung

15

im Kursbuch

22. Ergänzen Sie die Sätze mit der richtigen Präposition.

a) Er hatte sehr oft Krach _____ seinen Kollegen.

b) Ein Pädagoge sollte großes Interesse _____ die Welt der Kinder haben.

c) Es gibt auf der Welt fast 10 000 Datenbanken _____ Informationen aus allen Bereichen von Wirtschaft, Politik, Wissenschaft, Kultur und Technik.

d) Er ist Vertreter einer deutschen Firma _____ Ausland.

e) Er hatte ein sehr schlechtes Verhältnis _____ seiner Chefin.

f) Hast du Angst _____ Hunden?

g) Sie trägt nur Pullover _____ Wolle.

h) Der Film _____ Dienstag abend war ziemlich langweilig.

i) Die Gewerkschaft verlangt genaue Informationen _____ die wirtschaftliche Situation der Firma.

j) Der Krieg _____ den beiden Ländern hat viele Tote gekostet.

k) Hast du schon ein Geburtstagsgeschenk _____ Konrad gekauft?

l) Die Fahrt _____ dem Zug dauert etwa drei Stunden.

m) Die Streiks _____ höhere Löhne hatten Erfolg.

Nach Übung

15

im Kursbuch

23. „Nachdem", „bevor" oder „während"? Was paßt?

a) _____ man sich selbständig macht, sollte man einige Jahre als Angestellter im Beruf arbeiten.

b) _____ die Firma zwei große Mißerfolge hatte, mußte sie 60 Angestellte entlassen.

c) _____ ich studierte, mußte ich als Taxifahrer arbeiten, um leben zu können.

d) _____ man Arbeitslosengeld bekommt, darf man nicht arbeiten und Geld verdienen.

e) _____ mir gekündigt wurde, habe ich mich sofort arbeitslos gemeldet.

f) _____ ich eine feste Stelle hatte, machte ich nur Gelegenheitsjobs.

g) _____ die Kleider verpackt und an die Kunden geschickt werden, wird noch einmal die Qualität jedes einzelnen Kleides geprüft.

h) _____ die Kleider genäht worden sind, müssen sie gebügelt werden.

i) _____ Jens Brinkmann in Afrika arbeitete, lernte er Französisch.

Nach Übung

16

im Kursbuch

24. Welches Verb paßt?

übersetzen	aufgeben	produzieren	entlassen	einstellen
liefern	leiten	übernehmen	beschäftigen	verursachen

a) Die Firma hat nicht genug Arbeiter. Es sollen noch dreißig Leute _____ werden.

b) Der alte Chef ist gestorben. Die Firma wird jetzt von seinem Sohn _____ .

c) Wegen Rationalisierungen im Betrieb mußten hundert Arbeiter _____ werden.

d) Frau B. hat ihre Stelle _____ , weil sie sich selbständig machen will.

e) Herr M. _____ einen Lehrling und zwei Facharbeiter in seiner Werkstatt.

f) Ein Informationsmakler _____ alle Auskünfte, die seine Kunden wünschen.
g) Der Geschäftsführer muß gehen, weil er zu hohe Kosten _____ hat.
h) Mit den neuen Maschinen können höhere Stückzahlen _____ werden.
i) Solange meine Kollegin krank ist, muß ich ihre Arbeit _____ .
j) Die Sekretärin muß Briefe aus dem Ausland ins Deutsche _____ .

25. Sagen Sie es anders.

Nach Übung
16
im Kursbuch

A. Ergänzen Sie mit der passenden Präposition und, wenn nötig, dem Artikel.

a) Computerspiele — Spiele _____ Computer
b) eine Fensterdekoration — eine Dekoration _____ Fenster
c) das Fernsehprogramm — das Programm _____ Fernsehen
d) ein Motorradersatzteil — ein Ersatzteil _____ Motorrad
e) eine Ledertasche — eine Tasche _____ Leder
f) eine Zeitungsanzeige — eine Anzeige _____ Zeitung
g) die Zukunftsangst — die Angst _____ Zukunft
h) ein Hochzeitskleid — ein Kleid _____ Hochzeit
i) ein Universitätsstudium — das Studium _____ Universität
j) eine Mülldeponie — eine Deponie _____ Müll
k) die Nachtarbeit — Arbeit _____ Nacht
l) das Anfangsgehalt — das Gehalt _____ Anfang
m) ein Büroangestellter — ein Angestellter _____ Büro

B. Ergänzen Sie mit dem definiten Artikel im Genitiv.

a) die Stadtverwaltung — die Verwaltung _____ Stadt
b) ein Bankkunde — ein Kunde _____ Bank
c) ein Gewerkschaftssprecher — ein Sprecher _____ Gewerkschaft
d) die Herstellungskosten — die Kosten _____ Herstellung
e) der Präsidentenpalast — der Palast _____ Präsidenten
f) eine Wirtschaftskrise — eine Krise _____ Wirtschaft

C. Ergänzen Sie mit dem Relativpronomen und, wenn nötig, der passenden Präposition.

a) die Versandabteilung — die Abteilung, _____ _____ Waren verpackt und verschickt werden
b) die Stahlindustrie — die Industrie, _____ Stahlprodukte herstellt
c) der Hauptschulabschluß — der Abschluß, _____ man auf der Hauptschule bekommt
d) ein Gelegenheitsjob — ein Job, _____ man gelegentlich, nicht regelmäßig macht
e) ein Steuerberater — ein Berater, _____ bei Steuerfragen hilft
f) eine Präzisionsmaschine — eine Maschine, _____ sehr präzise arbeitet
g) ein Ärztehaus — ein Haus, _____ _____ verschiedene Ärzte ihre Praxis haben
h) ein Zukunftsberuf — ein Beruf, _____ auch in Zukunft wichtig sein wird

Lektion 3

Nach Übung
19
im Kursbuch

26. Bilden Sie Nomen.

	die Sache: Verbstamm oder Verbstamm+„-ung"	die Person: Verbstamm+„-er" / „-erin"
a) ausstellen	*die Ausstellung*	*der Aussteller, die Ausstellerin*
b) begründen		
c) beraten		
d) bewegen		
e) bezahlen		
f) einkaufen		
g) entlassen		
h) entwickeln		
i) erfinden		
j) herstellen		
k) kündigen		
l) leiten		
m) liefern		
n) prüfen		
o) testen		
p) verantworten		
q) verwalten		
r) zeichnen		

Nach Seite
42
im Kursbuch

27. Markieren Sie alle Verben: Futur grün, Präsens rot, Präteritum blau.

Was wird sein, wenn ich Meister bin, dachte er. Was wird sein?

Was wird sich im Betrieb und in meinem Leben verändern? Wird sich überhaupt etwas verändern? Warum soll sich etwas verändern? Bin ich ein Mensch, der verändern will?

Er stand unbeweglich und beobachtete nachdenklich das geschäftige Treiben auf dem Platz vor der Lagerhalle, der hundert Meter weiter unter einer brennenden Sonne lag. Die Männer dort arbeiteten ohne Hemd, ihre braunen Körper glänzten im Schweiß. Ab und zu trank einer aus der Flasche. Ob sie Bier trinken? Oder Cola?

Was wird sein, wenn ich Meister bin? Mein Gott, was wird dann sein? Ja, ich werde mehr Geld verdienen, kann mir auch einen Wagen leisten, und die Kinder werde ich zur Oberschule schicken, wenn es soweit ist. Vorausgesetzt, sie haben genug Verstand dazu. Eine größere Wohnung werde ich bekommen von der Werksleitung, und das in der Siedlung, in der nur Angestellte der Fabrik wohnen. Vier Zimmer, Küche, Bad, Balkon, kleiner Garten – und Garage. Das ist schon etwas. Dann werde ich endlich heraus sein aus der Arbeitersiedlung, wo die Wände Ohren haben, wo einer dem andern in den Kochtopf guckt und der Nachbar an die Wand klopft, wenn meine Frau den Schallplattenspieler zu laut aufdreht und die Beatles laufen läßt.

Meister, werden dann hundert Arbeiter zu mir sagen – oder Herr. Oder Herr Meister oder Herr Witty. Wie sich das wohl anhört: Herr Witty! Herr Meister! Er sprach es mehrmals laut vor sich hin.

Der Schweißer Egon Witty sah in die Sonne und auf den Platz, der unter einer brennenden Sonne lag, und er fragte sich, was die Männer mit den nackten Oberkörpern wohl tranken: Bier? Cola? Schön wird das sein, wenn ich erst Meister bin, ich werde etwas sein, denn jetzt bin ich nichts, nur ein Rädchen, das man ersetzen kann. Nicht so leicht ersetzbar aber sind Männer, die Räder in Bewegung setzen und kontrollieren. Ich werde in Bewegung setzen und kontrollieren, ich werde etwas sein, ich werde bestimmen, anordnen, von der Liste streichen, beurteilen, für gut befinden. Ich werde die Verantwortung tragen.

Kernwortschatz

Verben

ablehnen 53
anfassen 47
anmelden 51
aufwachen 50
ausfüllen 52
aussprechen 53
bedanken 53
bedeuten 25
begreifen 46
bestätigen 52
besuchen 51
bewegen 46

bieten 51
buchstabieren 53
einführen 51
einschlafen 50
entsprechen 48
entwickeln 48
erfüllen 52
erinnern 44
erklären 53
feststellen 47
fordern 48
führen 47

gelingen 44
gratulieren 53
klagen 47
korrigieren 52
loben 47
meinen 48
mitteilen 46
nachgehen 45
probieren 44
rechnen 44
schimpfen 45
schütteln 47

schwimmen 44
stehlen 45
unterrichten 46
verwenden 49
vorkommen 53
vorziehen 48
weiterarbeiten 46
wiederholen 46
zeigen 44

Nomen

e Ahnung, -en 51
e Anfrage, -n 50
e Anmeldung, -en
  52
r Autor, -en 46
e Bahn, -en 52
e Bedienung 53
s Blut 49
e Diskussion, -en 46
r Eilzug, ¨e 52
e Einladung, -en 53
e Erde 48
s Fach, ¨er 50
e Fahrkarte, -n 53
s Formular, -e 53

r Fotoapparat, -e 53
e Fremdsprache, -n
  52
e Gebühr, -en 52
r Geburtstag, -e 53
s Gedicht, -e 53
s Gegenteil 49
e Geschichte, -n 45
s Heft, -e 45
r Inhalt, -e 53
s Instrument, -e 22
e Klasse, -n 46
r Konflikt, -e 53
e Konkurrenz 47
r Körper, - 42

e Kunst 48
r Kurs, -e 49
s Land, ¨er 53
e Laune, -n 47
r Lautsprecher, - 45
e Leitung, -en 50
e Literatur 49
e Medizin 49
e Mühe 46
e Musik 47
e Panne, -n 50
e Politik 49
r Präsident, -en 48
e Reaktion, -en 46
e Regel, -n 47

r Reifen, - 50
r Spezialist, -en 48
r Start, -s 48
e Tafel, -n 50
r Tanz, ¨e 50
r Teilnehmer, - 29
e U-Bahn, -en 52
r Umfang 48
r Unterricht 46
r Versuch, -e 44
r Vogel, ¨ 44
r Vorschlag, ¨e 52

Adjektive

angeblich 48
dauernd 45
deutsch 53
eigen- 47
einzeln 47
elektrisch 49

eventuell 53
finanziell 50
genau 44
gültig 50
heutig 48
-jährig 48

menschlich 49
mündlich 45
ordentlich 45
politisch 53
richtig 46
schriftlich 53

schwierig 46
selten 45
sorgfältig 45
spannend 46
ständig 46
tatsächlich 52

Lektion 4

Adverbien

bisher 53	endlich 44	meistens 45	vorn 46
ebenfalls 52	gerade 44	überhaupt 46	zusammen 47

Funktionswörter

als ob 46	etwa 46	sowohl ... als auch ... 47
bißchen 51	jener 46	weder ... noch ... 47
derselbe 48	paar 44	zwar ... aber ... 47
entweder ... oder ... 47	pro Jahr 52	

Kernwortgrammatik

Verlaufsform (§ 37)

Die Vögel lernen <u>gerade</u> fliegen.
Die Vögel <u>sind dabei</u>, fliegen <u>zu lernen</u>.

Perfekt + Modalverb (§ 26)

Sie hat die Tafel geputzt.
Sie <u>hat</u> die Tafel <u>putzen müssen</u>.   Ich <u>habe das</u> nie <u>gemußt</u>.

Sie hat ihren Lehrer kritisiert.
Sie <u>hat</u> ihren Lehrer <u>kritisieren dürfen</u>.   Ich <u>habe das</u> nie <u>gedurft</u>.

Sie hat ihre Meinung nicht gesagt.
Sie <u>hat</u> ihre Meinung nicht <u>sagen wollen</u>.   Ich <u>habe das</u> immer <u>gewollt</u>.

Sie hat ihren Schülern nicht geholfen.
Sie <u>hat</u> ihren Schülern nicht <u>helfen können</u>.   Ich <u>habe das</u> immer <u>gekonnt</u>.

Zweigliedrige Junktoren (§ 38)

Wir üben <u>nicht nur</u> in Gruppenarbeit, <u>sondern auch</u> allein.
Wir haben <u>zwar</u> schon viel gelernt, <u>aber</u> es bleibt noch sehr viel zu tun.

Diese Übung kann man <u>entweder</u> in Gruppenarbeit <u>oder</u> allein machen.
Mit dieser Übung kann ich <u>sowohl</u> das Sprechen <u>als auch</u> das Lesen üben.
Diese Arbeit ist <u>weder</u> interessant <u>noch</u> gut bezahlt.
Der Kurs findet <u>teils</u> am Abend und <u>teils</u> am Wochenende statt.

Reziprokpronomen mit Präposition (§ 9)

Wir sollten mehr <u>aufeinander</u> eingehen.
Wir könnten doch <u>miteinander</u> lernen.
Ihr werdet sicher viel <u>voneinander</u> lernen.

1. „So habe ich radfahren gelernt." Wie passen die Texthälften zusammen?

Nach Übung

2

im Kursbuch

Ich kann mich noch gut daran erinnern, wie ich radfahren gelernt habe. Da war ich fünf Jahre alt; es war kurz vor meinem Schulbeginn. Ich spielte auf unserer Terrasse gerade mit den Nachbarskindern Schule. Plötzlich kam meine Mutter mit einem ganz neuen Kinderfahrrad daher. Das interessierte mich aber gar nicht, weil ein älteres Kind gerade dabei war, meine „Hausaufgaben" zu korrigieren. Außerdem hatte ich Angst vor dem Radfahren; ich wußte schon, daß man dabei hinfallen und sich verletzen konnte.

a)

Ich habe erst sehr spät radfahren gelernt. Während meiner ganzen Kindheit wohnten wir im Zentrum von Frankfurt, und meine Eltern hatten Angst, daß mir beim Radfahren in dem dichten Stadtverkehr etwas passieren könnte. Mir war es eigentlich egal, daß ich kein Fahrrad hatte. Es gab genug andere Beschäftigungen; ich ging oft schwimmen oder spielte Fußball.

b)

Das Radfahren habe ich mit dem Rad meiner älteren Schwester gelernt. Sie hatte das Rad zum siebten Geburtstag bekommen, und vom ersten Tag an wollte ich unbedingt auch damit fahren. Aber sie gab es mir nie; sie hatte Angst, ich würde es kaputtmachen. Deshalb schloß sie es immer ab und versteckte den Schlüssel.

c)

Als ich zwölf war, kam ich an eine andere Schule. Da hatte ich bald einen neuen Freund, der immer mit dem Fahrrad unterwegs war und überhaupt nicht verstehen konnte, daß ich kein Fahrrad hatte und nicht fahren konnte. Deshalb wünschte ich mir dann doch ein Fahrrad von meinen Eltern. Zu Weihnachten bekam ich auch wirklich ein tolles Rad, obwohl mein Vater damals gerade berufliche Probleme hatte und es für ihn nicht ganz einfach war, soviel Geld für ein Weihnachtsgeschenk auszugeben. Das Fahren brachte mir mein Freund schon am ersten Weihnachtstag bei.

1)

An einem Wochenende, als meine Schwester gerade nicht zu Hause war, fand ich zufällig den Schlüssel. Ohne lange nachzudenken ging ich in die Garage, schloß das Rad auf und schob es auf die Straße. Ich wußte mit meinen fünf Jahren nicht, daß man das Radfahren lernen muß – ich wollte einfach aufsteigen und losfahren. Natürlich fiel ich sofort hin. Unser Nachbar, der dabei war, seinen Rasen zu mähen, stellte mich wieder auf die Beine. Und dann half er mir, bis ich allein fahren konnte – er wußte ja nicht, daß ich mit dem Rad eigentlich gar nicht fahren durfte. Zum Glück bekam ich dann bald darauf mein eigenes Rad.

2)

Auch an den nächsten Tagen wollte ich nicht radfahren lernen. Schließlich war die Geduld meiner Mutter zu Ende: Sie zog mir zwei lange Hosen und zwei dicke Pullover an, dazu noch Handschuhe, und erklärte mir, daß diese Kleidung mich bei einem Sturz ganz bestimmt schützen würde. Dann setzte sie mich auf mein Fahrrad und hielt mich am Rücken fest. Da fuhr ich schließlich los, und schon nach einer Viertelstunde konnte ich ganz allein und ohne Hilfe um unser Haus fahren.

3)

a) |

b) |

c) |

Lektion 4

Nach Übung

2

im Kursbuch

2. Gerade in dem Moment ...

Im Deutschen braucht man keine besondere Verbform, um auszudrücken, daß man *im Moment* etwas tut oder daß *im Moment* etwas passiert:

> Bitte stör mich jetzt nicht, ich schreibe einen Brief.

Man kann aber auch sagen:

> Bitte stör mich jetzt nicht, ich schreibe gerade einen Brief.
> Bitte stör mich jetzt nicht, ich bin dabei, einen Brief zu schreiben.
> Bitte stör mich jetzt nicht, ich bin gerade dabei, einen Brief zu schreiben.

A. Suchen Sie in den Texten in Übung 1 die fünf Sätze, in denen auf diese Weise „im Moment" ausgedrückt wird.

B. Drücken Sie in den folgenden Sätzen „im Moment" aus.

a) Klaus möchte jetzt nicht fernsehen. Er liest ein Buch.

   Er liest g

   Er ist d

   Er ist g

b) Sie können jetzt nicht mit Frau Ott sprechen. Sie telefoniert mit einem wichtigen Kunden.

c) Ich kann dir im Moment nicht helfen. Ich spüle das Geschirr.

d) Vater ist im Hof. Er repariert das Auto.

e) Laß Paul in Ruhe! Er lernt für seine Prüfung.

Nach Übung

2

im Kursbuch

3. Eine Antwort stimmt nicht.

a) Wann hast du schwimmen gelernt?
- A Das weiß ich nicht mehr.
- B Daran denke ich nicht.
- C Ich kann mich nicht erinnern.

b) Kann dein Papagei sprechen?
- A Nein, das weiß er leider nicht.
- B Nein, das ist ihm bisher nicht gelungen.
- C Nein, das hat er leider nicht gelernt.

c) Kannst du über den ganzen See schwimmen?
- A Wahrscheinlich, aber ich habe es noch nie probiert.
- B Das kann ich nicht sagen, weil ich es noch nie versucht habe.
- C Das habe ich noch nie gezeigt.

d) Wie hast du eigentlich so gut skilaufen gelernt?
- A Mein Vater hat mir gezeigt, wie es geht.
- B Das hat mir mein Vater beigebracht.
- C Mein Vater hat mich darüber informiert.

e) Warum konntest du schon schreiben, als du in die Schule kamst?
- A Mein älterer Bruder hat es mir erklärt.
- B Mein älterer Bruder hat es mir vorgemacht.
- C Mein älterer Bruder hat mit mir geübt.

Nach Übung

4

im Kursbuch

4. Sagen Sie es anders.

Wenn man vergangene Ereignisse erzählt, verwendet man bei vielen Verben oft das Perfekt anstelle des Präteritums.
Bei den Verben „haben" und „sein" und bei den Modalverben braucht man die Perfektformen zwar selten, aber sie sind auch möglich:

Perfekt
Ich bin bei Harald gewesen.
Er hat Probleme mit seinem Computer gehabt.
Ich habe ihm helfen müssen.

Präteritum
Ich war bei Harald.
Er hatte Probleme mit seinem Computer.
Ich mußte ihm helfen.

Schreiben Sie die folgenden Sätze im Perfekt:

a) Ich mußte immer die Tafel putzen.   *Ich habe immer die Tafel putzen müssen.*

b) Wir durften nie unpünktlich sein.

c) Wenn ein Lehrer in die Klasse kam, mußten wir immer aufstehen.

d) Die Mathematikaufgaben konnte ich nur mit Hilfe meiner Banknachbarin lösen.

e) Ich mußte eine Klasse zweimal machen.

f) Ich konnte eigentlich nie verstehen, wozu die Logarithmen gut sein sollen.

g) Damals konnte man noch keine Fächer wählen.

h) Ich durfte nicht studieren, mein Vater erlaubte es nicht.

5. Wiederholung: Adjektive. Welches Adjektiv paßt?

Nach Übung

4

im Kursbuch

a) Nur wenn ich eine _____ Brille trage, kann ich _____ sehen.

b) Du hast richtig gerechnet, aber die Zahlen sind nicht _____ geschrieben.

c) Sie macht ihre Hausaufgaben immer sehr _____ .

d) In Mathematik hatten wir einen _____ Lehrer.

e) Ich würde nie so eine _____ Schuluniform anziehen!

f) Unsere _____ Lehrerin macht einen _____ Unterricht.

g) Ich glaube, daß Gruppenarbeit _____ ist zum Lernen.

h) Alle hatten Angst vor Wegmann; er war ein _____ Lehrer.

i) Nachmittags trafen sich die Jungs aus meiner Klasse _____ zum Fußballspielen.

klar genau deutlich stark direkt gültig

angenehm elegant ordentlich

günstig sorgfältig hübsch

berühmt ausgezeichnet wichtig

schrecklich schwierig traurig

neu lebendig lebendig neu frisch gesund

nett gemütlich ideal

wunderbar furchtbar phantastisch

regelmäßig zuverlässig sorgfältig

Lektion 4

Nach Übung

5

im Kursbuch

6. Wiederholung: Welche Nomen passen nicht?

a) putzen: die Wandtafel, die Zähne, das Geschirr, die Schuhe, die Wäsche, das Fenster, das Badezimmer, das Auto, das Fahrrad, sich die Nase, den Spiegel

b) waschen: die Hände, das Gesicht, die Zähne, den Pullover, die Haare, einen Apfel, das Wohnzimmer, das Kleid, die Wäsche, das Gemüse, das Kassettengerät, die Wolldecke, den Hals

c) aufräumen: das Kinderzimmer, die Wohnung, die Haare, die Küche, die Handtasche, den Kleiderschrank, die Garage, die Füße, den Kühlschrank, den Schreibtisch, die Waschmaschine, das Büro, den Hof, den Keller

d) saubermachen: den Ofen, die Badewanne, ein Glas, die Wohnung, den Hund, eine Jacke, den Schmerz, die Toilette, den Kochtopf, den Stall, das Waschbecken, die Wohnung

Nach Übung

5

im Kursbuch

7. Ergänzen Sie.

da   bald   da   danach   dann   ~~eines Tages~~   dann   im nächsten Moment   zuerst   später   zuerst

Eines Tages _____ sollten wir in Englisch mündlich geprüft werden. Die meisten von unserer Klasse waren aber nicht gut vorbereitet. _____ hatte Dieter eine Idee. Er brachte sein Tonbandgerät mit in die Schule und nahm beim Unterrichtsbeginn die Pausenklingel auf. Vor der Englischstunde versteckte er den Lautsprecher hinter der Wandtafel._____ kam Wegmann, unser Englischlehrer, in die Klasse und fing mit der Prüfung an. Wie immer prüfte er _____ die besten Schüler. Aber _____ wollte er auch mich prüfen. _____ gab ich Dieter ein Zeichen; der schaltete sein Tonbandgerät ein, und_____ klingelte es. Wegmann war sehr überrascht. Er schaute _____ ungläubig auf seine Uhr. Aber _____ glaubte er es doch und beendete die Prüfung. _____ gingen wir alle nach Hause, weil es die letzte Stunde war. _____ merkte Wegmann natürlich, daß alles nur ein Trick war, und er wiederholte die Prüfung.

Nach Übung

7

im Kursbuch

8. Ergänzen Sie mit „was", „wo" oder „wohin".

a) Wir haben natürlich nicht alles geglaubt, _____ die Lehrer uns erzählt haben.

b) Von da, _____ ich saß, konnte ich den anderen Schülern nicht ins Gesicht sehen.

c) Unseren Klassenausflug mußten wir dahin machen, _____ die Lehrer fahren wollten.

d) Fast alles, _____ wir auswendig lernen mußten, vergaßen wir ganz schnell wieder.

e) Wir hatten wenig Möglichkeiten, mit den Mitschülern über das zu sprechen, _____ wir gelernt hatten.

f) Wir mußten immer dorthin schauen, _____ der Lehrer war.

g) Oft hatte ich das Gefühl, daß wir etwas lernten, _____ wir gar nicht brauchten.

9. „Als", „wenn" oder „während"? Was paßt?

Nach Übung

7

im Kursbuch

a) Ich konnte doch nicht Musik machen, _____ Gerda im gleichen Zimmer schlafen wollte!

b) Als Student war ich immer sehr nervös, _____ ich mit einem Professor sprechen sollte.

c) _____ ich achtzehn war, zogen meine Eltern nach Berlin.

d) _____ meine Freunde sich auf die Prüfung vorbereiteten, verbrachte ich die Tage in Cafés und die Nächte in Bars und Diskotheken.

e) _____ ein Lehrer sehr streng ist, lerne ich nicht so gut.

f) Daß jemand meine Tasche gestohlen hatte, merkte ich erst, _____ ich ins Hotel zurückfahren wollte.

g) Du kannst ihm das ja morgen erzählen, _____ du mit ihm nach Zürich fährst.

h) Ich lerne nur dann eine Fremdsprache, _____ ich damit Geld verdienen kann.

i) Du könntest ja schon mal runtergehen und das Zimmer bezahlen, _____ ich die Koffer packe.

10. Was paßt zusammen?

→ Themen neu 2, Arbeitsbuch: Übung 21 auf Seite 90

Nach Übung

8

im Kursbuch

a) Sie kann zwar gut Deutsch sprechen,

b) Ich kann weder in der Gruppe

c) Sie kann nicht nur gut Deutsch sprechen,

d) Entweder höre ich Musik,

e) Sie kann Russisch sowohl sprechen

f) Der Lehrer ist zwar sehr nett,

g) Sie kann diese Sprache weder sprechen

h) Entweder man tat, was die Lehrer wollten,

i) Ich lerne nicht nur im Unterricht,

j) Sie lernt sowohl Deutsch

1 oder man bekam schlechte Noten.

2 als auch schreiben.

3 noch schreiben.

4 sondern auch gut schreiben.

5 aber sein Unterricht ist langweilig.

6 aber nicht gut schreiben.

7 als auch Spanisch.

8 oder ich lerne. Beides zusammen kann ich nicht.

9 noch mit einem Partner zusammen lernen.

10 sondern auch zu Hause.

A	B	C	D	E	F	G	H	I	J

11. Ergänzen Sie.

Nach Übung

8

im Kursbuch

weder ... noch ...   entweder ... oder ...   zwar ... aber ...   sowohl ... als auch ...

a) Ich weiß noch nicht genau, was ich nach der Schule machen werde. _____ bewerbe ich mich als Stewardeß, _____ ich studiere Englisch an der Uni.

b) Ich kann mich _____ noch an meine Mitschüler erinnern, _____ die Namen der meisten habe ich vergessen.

c) Wir hatten einen sehr netten Mathematiklehrer, aber ich kann mich _____ an sein Gesicht _____ an seinen Namen erinnern.

d) Meine Schulzeit war eigentlich ganz normal. Ich hatte _____ gute _____ schlechte Lehrer.

Lektion 4

Nach Übung

8

im Kursbuch

12. „Einander"

A. Nicht reflexive Verben
Nora und Ludwig ...

a) ... lieben *einander.*

b) ... denken *aneinander.*

c) ... schimpfen

d) ... hassen

e) ... sprechen

f) ... kritisieren

g) ... sorgen

h) ... diskutieren

i) ... schreiben

j) ... reden

k) ... informieren

l) ... telefonieren

m) ... widersprechen

n) ... kämpfen

o) ... gratulieren

p) ... helfen

q) ... loben

r) ... lachen

Anstelle von „einander" kann man auch das Wort „sich" verwenden:

> Nora und Ludwig lieben <u>sich</u>.

Das Wort „sich" kann also bei einigen Verben in der dritten Person Plural zwei Bedeutungen haben:

Die Kinder schauen sich an.
= Jedes Kind schaut sich
selbst an.

Die Kinder schauen sich an.
= Die Kinder schauen
einander an.

Wenn „einander" mit einer Präposition verbunden ist („<u>an</u>einander", „<u>über</u>einander", „<u>mit</u>einander" usw.), dann kann es <u>nicht</u> durch das Wort „sich" ersetzt werden.

B. Reflexive Verben
Nora und Ludwig ...

a) ... beschweren *sich übereinander.*

b) ... haben _____ gewöhnt.

c) ... erinnern

d) ... interessieren

e) ... kümmern

f) ... regen _____ auf.

g) ... verabschieden

Nach Übung

9

im Kursbuch

13. Was können Sie auch sagen?

a) Diese Grammatikregel begreife ich nicht.
A Diese Regel kann ich nicht anfassen.
B Diese Regel gefällt mir nicht.
C Diese Regel verstehe ich nicht.

b) Die Kurszeiten werden Ihnen spätestens zwei Monate vor Kursbeginn mitgeteilt.
A Spätestens zwei Monate vorher erfahren Sie, um wieviel Uhr der Kurs jeweils stattfindet.
B Der Kurs wird geteilt und beginnt in spätestens zwei Monaten.
C Wir schreiben Ihnen noch, wie lange der Kurs dauert; mehr als zwei Monate sicher nicht.

c) Ich habe festgestellt, daß ich am besten allein lernen kann.
A Ich habe mich entschieden, nur noch allein zu lernen.
B Ich habe gemerkt, daß ich allein am besten lerne.
C Ich fühle mich oft allein, wenn ich lerne.

d) Während des Unterrichts durften wir uns in der Klasse bewegen.
A Wir mußten nicht immer auf unserem Platz bleiben.
B Wir durften mit unseren Mitschülern sprechen.
C Wir hatten manchmal Sportunterricht in der Klasse.

e) Was hat diese Erzählung in dir bewegt?
A Was hast du während der Erzählung gemacht?
B Welche Gedanken und Gefühle hattest du bei dieser Erzählung?
C Hat dir die Erzählung gefallen?

f) Unser Lehrer hatte immer schlechte Laune.
A Unser Lehrer hatte eine schlimme Krankheit.
B Unser Lehrer hat immer zu leise gesprochen.
C Unser Lehrer war ein unzufriedener und unfreundlicher Mensch.

g) Die Schüler tun so, als ob sie dem Lehrer zuhören würden.
A Die Schüler lassen den Lehrer glauben, daß sie ihm zuhören. Aber es stimmt nicht.
B Die Schüler würden dem Lehrer gern zuhören, aber sie haben zuviel zu tun.
C Die Schüler hören genau zu, wenn der Lehrer etwas sagt.

h) Gestern hatten wir eine spannende Diskussion während des Unterrichts.
A Die Diskussion war interessant und aufregend.
B Die Diskussion war unfair und aggressiv.
C Die Diskussion war schrecklich langweilig.

14. Was hat man die Schüler und die Lehrer gefragt? Bilden Sie indirekte Fragesätze.
→ Themen neu 2, Arbeitsbuch: Übungen 13 und 14 auf den Seiten 86–87

Nach Übung

10

im Kursbuch

Die Schüler und Lehrer wurden gefragt, ...

a) ... *welcher Planet „Abendstern" genannt wird.* _____
   (Welcher Planet wird „Abendstern" genannt?)

b) _____
   (Wie nennt man eine Lebensgeschichte, die man selbst geschrieben hat?)

c) _____
   (Wofür stehen die olympischen Ringe?)

d) _____
   (Gegen welche Krankheit verwendet man Insulin?)

e) _____
   (Was zeigt das Barometer an?)

f) _____
   (Welcher große Maler und Naturforscher hat die „Mona Lisa" gemalt?)

Lektion 4

g) _____
(Von wem stammt das Bild „Guernica"?)

h) _____
(Wie viele Knochen hat der menschliche Körper?)

i) _____
(Seit wann gibt es in Deutschland keinen Kaiser mehr?)

j) _____
(Wer wählt den Bundeskanzler?)

Nach Übung

10

im Kursbuch

15. Was wußten viele Schülerinnen und Schüler nicht? Bilden Sie indirekte Fragesätze.

Viele Schülerinnen und Schüler wußten nicht, …

a) … *ob* _____
(Gibt es seit 1914 oder seit 1918 keinen deutschen Kaiser mehr?)

b) _____
(Wurde „Aida" von Verdi oder von Puccini geschrieben?)

c) _____
(Wird die Venus oder der Jupiter „Abendstern" genannt?)

d) _____
(Verwendet man Insulin bei Krebs oder bei Blutzucker?)

e) _____
(Wird der Bundeskanzler vom Volk oder vom Bundestag gewählt?)

f) _____
(Von wem wurde die „Mona Lisa" gemalt?)

g) _____
(Wird der elektrische Widerstand in Ampère oder in Ohm gemessen?)

h) _____
(Ist die „Zauberflöte" eine Oper oder eine Operette?)

i) _____
(Mißt ein Barometer den Luftdruck oder die Luftfeuchtigkeit?)

j) _____
(Wurde Ludwig XIV. oder Ludwig XVI. „Sonnenkönig" genannt?)

Nach Übung

15

im Kursbuch

16. Welches Nomen paßt?

a) Ich hoffe, daß der Kurs überhaupt stattfinden wird. Es müssen sich nämlich mindestens fünfzehn _____ anmelden.

Teilnehmer   Mitarbeiter   Körper

b) Der Computerkurs beginnt am 1. September. Zur _____ muß man seinen Personalausweis und 300,– DM mitbringen.

Eröffnung   Anmeldung   Abfahrt

c) Allgemeinbildung bedeutet, daß man nicht nur in einem _____ Bescheid weiß.

Fach   Kurs   Beruf

Lektion 4

d) Meine Tochter möchte ein Jahr in Amerika studieren. Leider habe ich keine _____ , wo ich mich darüber informieren kann.

Bedeutung   Erklärung   Ahnung

e) Am letzten Schultag wünscht die Lehrerin allen einen guten _____ ins Berufsleben.

Anfang   Ausflug   Start

f) Dieser Arzt ist international bekannt, weil er ein _____ für Herzoperationen ist.

Spezialist   Präsident   Chef

g) Es stimmt ja gar nicht, daß Monika durch die Prüfung gefallen ist! Im _____ : Sie hat die Prüfung sogar sehr gut bestanden.

Vorurteil   Gegenteil   Vorteil

h) Ich spiele seit zehn Jahren Klavier. Jetzt möchte ich noch ein zweites _____ lernen.

Instrument   Fach   Ding

17. Welche Verben sind trennbar, welche nicht? Ergänzen Sie.

erklären   anfassen   aufwachen   bedeuten   verwenden

vergleichen   anmelden   einschlafen   beginnen

verbringen   vorziehen   beantworten   erfahren   zurückkehren

a) Bitte _____ Sie die Frage _____ !
b) Wann _____ du das Ergebnis der Prüfung _____ ?
c) Ich _____ mich morgen zur Prüfung _____ .
d) Wo _____ ihr dieses Jahr eure Ferien _____ ?
e) Welchen Kurs _____ du _____ , den an der Uni oder den in der Sprachschule?
f) Was _____ dieses Wort _____ ?
g) Bitte _____ Sie mir die Bedeutung dieses Satzes _____ !
h) Wann _____ ihr von eurer Reise _____ , morgen oder übermorgen?
i) Wann _____ du morgens meistens _____ ?
j) Der Kurs _____ am 1. Oktober _____ .
k) _____ Sie Ihre Antworten mit den Antworten der anderen Studenten _____ !
l) _____ Sie den Hund lieber nicht _____ ! Er ist gefährlich.
m) _____ Sie zum Lernen manchmal ein Kassettengerät _____ ?
n) Ich bin sehr müde. Ich _____ in letzter Zeit abends immer sehr schlecht _____ .

Lektion 4

Nach Übung

17

im Kursbuch

18. Wiederholung: Adjektive, die auf „-ig" enden.

a) Das Gegenteil von „tot" ist _le_____ .

b) Sie ist doch nicht verheiratet! Ich bin ganz sicher, daß sie _le_____ ist.

c) Mein Paß ist fast neu, er ist noch mehr als vier Jahre _gü_____ .

d) Die Suppe schmeckt mir nicht. Sie ist zu _sa_____ .

e) Das Auto war nicht teuer. Ich habe es sehr _gü_____ bekommen.

f) Kann ich ein Glas Wasser haben? Ich bin schrecklich _du_____ .

g) Du willst immer alles wissen! Du bist unglaublich _neu_____ !

h) Vielen Dank, aber es ist wirklich nicht _nö_____ , daß Sie mir helfen.

i) Du hast ja geweint! War der Film denn so _tr_____ ?

j) Mein Auto ist leider in der Werkstatt. Morgen um zehn ist es _le_____ , dann kann ich es abholen.

k) Der Kleine zieht sich ja schon allein an! Ich wußte gar nicht, daß er schon so _se_____ ist.

l) Alte Menschen leben oft _vö_____ allein.

m) Das Gegenteil von „falsch" ist _ri_____ .

n) Ich werde das Buch nicht weiterlesen, es ist mir zu _la_____ .

o) Wenn der Wetterbericht stimmt, dann soll es morgen _so_____ und warm werden.

p) Für mich ist es sehr _wi_____ , mit netten Kollegen zusammenarbeiten zu können.

q) Viele Frauen wollen auch dann _beru_____ bleiben, wenn sie Kinder haben.

r) Warum hast du meinen Pullover nicht gewaschen? Hast du nicht gesehen, wie _sch_____ er ist?

s) In der _heu_____ Zeit wäre es besonders wichtig, daß die Studenten eine bessere Allgemeinbildung haben.

Nach Übung

20

im Kursbuch

19. Was ist richtig?

a) Eine Prüfung, bei der man mit den Prüfern spricht und Fragen beantwortet, ist
Ⓐ eine mündliche Prüfung.
Ⓑ eine schriftliche Prüfung.

b) Wenn man eine Einladung zum Essen ablehnt, heißt das,
Ⓐ daß man dazu keine Lust oder keine Zeit hat.
Ⓑ daß man sich freut und gerne kommt.

c) Um ein Formular auszufüllen, braucht man
Ⓐ eine Schere oder ein Messer.
Ⓑ einen Kugelschreiber oder einen Bleistift.

d) Um richtig buchstabieren zu können, muß man
Ⓐ die Buchstaben des Alphabets kennen.
Ⓑ die Zahlen von 1 bis 100 kennen.

e) Man gratuliert jemandem
Ⓐ zu Weihnachten oder zu Ostern.
Ⓑ zum Geburtstag oder zur Hochzeit.

f) Man bedankt sich z. B. bei jemandem,
Ⓐ wenn man sich über ihn oder sie geärgert hat.
Ⓑ wenn sie oder er einem geholfen hat.

Nach Übung

20

im Kursbuch

20. Was können Sie auch sagen?

a) Dieses Wort kann ich nicht richtig aussprechen.
- A Dieses Wort kann ich nicht fehlerfrei sagen.
- B Dieses Wort verstehe ich nicht.
- C Dieses Wort habe ich noch nie gehört.

b) Die Prüfung findet eventuell nächste Woche statt.
- A Die Prüfung findet auf jeden Fall nächste Woche statt.
- B Die Prüfung sollte nächste Woche stattfinden, aber es klappt nicht.
- C Es könnte sein, daß die Prüfung nächste Woche stattfindet.

c) Ich bin ebenfalls Studentin.
- A Ich bin auch Studentin.
- B Ich bin keine Studentin mehr.
- C Ich habe gerade angefangen zu studieren.

d) Gibt es das „rollende Klassenzimmer" tatsächlich?
- A Gibt es täglich Unterricht im „rollenden Klassenzimmer"?
- B Ist das „rollende Klassenzimmer" nicht eine tolle Sache?
- C Existiert das „rollende Klassenzimmer" wirklich?

e) Morgen bekomme ich Bescheid.
- A Morgen bekomme ich ein Postpaket.
- B Ich habe morgen einen Termin.
- C Morgen werde ich es erfahren.

f) Können Sie das bestätigen?
- A Was denken Sie darüber?
- B Sagen Sie auch, daß das so ist?
- C Halten Sie das für wichtig?

21. Ergänzen Sie die Sätze mit Präpositionen.

Nach Übung

20

im Kursbuch

| an | auf | für | gegen | in | mit | nach | über | von | zu | zwischen |

a) Die Kurse _____ Kinder sind sehr beliebt.
b) Sein Wissen _____ diesem Fach ist sehr groß.
c) Sie hat die Prüfung _____ Physik bestanden.
d) Sie hat großes Interesse _____ Fremdsprachen.
e) Müssen wir in der Prüfung auch Fragen _____ diesen Text beantworten?
f) Kennt ihr den Weg _____ Schule?
g) Ich glaube, die meisten Schüler haben Vertrauen _____ ihren Lehrern.
h) Man braucht _____ diesen Kurs keine Vorkenntnisse.
i) Auch viele Schüler haben den Wunsch _____ einer besseren Allgemeinbildung.
j) Ich habe keine Ahnung _____ Physik.
k) Weißt du die Antwort _____ diese Frage?
l) Sie macht jetzt eine Ausbildung _____ Automechanikerin.
m) Er hat gute Aussichten _____ einen Studienplatz in Göttingen.
n) Die Diskussion _____ das Thema war schrecklich langweilig.
o) Wir haben keine Einladung _____ ihrer Hochzeit bekommen.
p) Die Fahrt _____ Schule dauert fast eine halbe Stunde.
q) Die Frage _____ dem Geburtsjahr von Goethe konnte ich auch nicht beantworten.
r) Insulin ist ein Medikament _____ Blutzucker.
s) Weißt du vielleicht, was das Gegenteil _____ Kernspaltung ist?
t) Hat jemand eine Idee _____ die Lösung dieses Problems?

Lektion 4

u) Informationen _____ die Kurse bekommen Sie im Büro.

v) Er kann so gut Deutsch, daß er Gespräche _____ unseren Kunden führen kann.

w) An unserer Schule gibt es zur Zeit große Konflikte _____ Lehrern und Schülern.

x) In diesem Kurs ist die Konkurrenz _____ den Kursteilnehmern leider sehr stark.

y) Die Lehrer sollten auch die Schüler _____ ihrer Meinung fragen.

z) Die Idee _____ dem „rollenden Klassenzimmer" finde ich phantastisch.

Nach Übung

20

im Kursbuch

22. Schreiben Sie.

a) über meine Hobbys berichten
Ich kann auf deutsch über meine Hobbys berichten.
Ich weiß, wie man auf deutsch über seine Hobbys berichtet.
Ich bin in der Lage, auf deutsch über meine Hobbys zu berichten.

b) ein Hotelzimmer reservieren

c) eine Geburtstagseinladung schreiben

d) die Bedienung eines Geräts erklären

e) meine Meinung über einen Konflikt sagen

f) einem Mechaniker erklären, was am Auto kaputt ist

Nach Übung

20

im Kursbuch

23. Mit welchen Präpositionen stehen die Verben? Ergänzen Sie die Sätze.

an	auf	für	gegen	nach	über	von	zu	mit

a) Sie hat sich _____ die Prüfung sehr angestrengt.

b) Warum hast du _____ meine Frage nicht geantwortet?

c) Sie hat sich _____ die Geschenke überhaupt nicht bedankt!

d) Wann beginnen wir denn endlich _____ der Arbeit?

e) Die Presse hat _____ den Unfall fast gar nicht berichtet.

f) Denk bitte morgen _____ deinen Termin beim Arzt! Vergiß ihn nicht!

g) Sie hat uns viel _____ ihrer Familie erzählt.

h) Ich habe einfach einen Taxifahrer _____ dem Weg gefragt.

i) Wir gratulieren Dir ganz herzlich _____ der bestandenen Prüfung.

j) Der Patient klagt _____ Schmerzen in den Knien. Soll ich ihm eine Tablette geben?

k) Diese Bluse paßt sehr gut _____ deinem Rock.

l) Du wolltest doch _____ dieser Prüfung auch teilnehmen.

m) Du hast mich _____ deiner Idee schon überzeugt.

n) Heute geht es nicht. Wir haben uns nämlich schon _____ Konrad verabredet.

o) Ich habe meine Lösungen _____ den Lösungen von Marion verglichen.

p) Daniela freut sich immer schon viele Wochen vorher _____ ihren Geburtstag.

q) Ich habe mich sehr _____ die Geschenke gefreut, die ihr mir geschickt habt.

r) _____ welche Krankheit verwendet man Insulin?

s) In der Klasse sitzen die Schüler so, daß alle _____ den Lehrer schauen.

t) Weißt du _____ Autos Bescheid?

u) Er hat sich nicht einmal bedankt _____ die Einladung!

v) Kannst du auf deutsch _____ deine berufliche Zukunft reden?

Kernwortschatz

Verben

aufheben 63	betrügen 64	geschehen 63	springen 62
ausgeben 60	bezahlen 60	leisten 60	tragen 57
aussehen 58	brechen 62	nachdenken 63	unterstützen 58
ausstellen 58	danken 63	ordnen 58	vorhaben 58
aussuchen 59	drehen 63	putzen 58	vorschlagen 61
bemerken 58	einkaufen 59	regieren 58	zahlen 65
beschädigen 63	einpacken 58	rufen 62	zuhören 65
besitzen 64	festhalten 62	sammeln 65	

Nomen

r Alkohol 57	s Gewürz, -e 58	e Polizei 65	r Tabak 59
e Anzeige, -n 57	s Glück 57	r Praktikant, -en 61	r Tee 59
r Apfel, ¨ 58	s Gold 62	e Rasierklinge, -n 65	s Tier, -e 62
r Ausgang, ¨e 58	s Gras 62	e Reihe, -n 58	e Tomate, -n 58
r Automat, -en 38	e Großstadt, ¨e 60	r Reis 59	r Tropfen, - 62
s Bargeld 65	s Haar, -e 62	e Revolution, -en 56	s Tuch, ¨er 62
s Bein, -e 62	r Hals, ¨e 62	e Rolle, -n 59	e Überweisung, -en 61
e Bevölkerung 60	s Handtuch, ¨er 65	r Saft, ¨e 59	e Verbindung, -en 56
s Bier 59	s Herz, -en 62	r Salat, -e 58	r Verbraucher, - 59
r Boden 62	e Hilfe 65	s Salz 58	e Vergangenheit 64
r Braten, - 64	r Hunger 60	s Schaufenster, - 59	e Versicherung, -en 57
r Bürgermeister, - 63	r Kamm, ¨e 65	e Scheckkarte, -n 61	r Waschlappen, - 65
s Dach, ¨er 59	e Kartoffel, -n 59	e Schere, -n 59	r Wein, -e 58
s Drittel, - 60	r Käse 58	e Schokolade, -n 58	e Werbung 57
r Durst 62	r Kleiderbügel, - 65	e Schraube, -n 59	s Werkzeug, -e 59
e Eile 65	s Konto, Konten 61	r Schuh, -e 62	r Wert, -e 64
r Eimer, - 62	s Kopfkissen, - 63	s Schwein, -e 62	e Wurst, ¨e 58
r Eingang, ¨e 58	e Kuh, ¨e 62	s Schweine- schnitzel, - 58	r Zahn, ¨e 58
r Empfänger, - 60	r Kunde, -n 65	e Seife, -n 58	e Zahnbürste, -n 57
r Fisch, -e 58	r Laden, ¨ 59	s Sonderangebot, -e 58	e Zahnpasta, -pasten 58
e Flasche, -n 62	e Landkarte, -n 58	e Staatsangehörig- keit, -en 61	e Zange, -n 59
s Fleisch 58	s Mehl 58	r Stuhl, ¨e 62	e Zigarette, -n 59
e Frucht, ¨e 58	s Messer, - 64	e Summe, -n 61	r Zins, -en 61
r Gang, ¨e 58	r Metzger, - 62	r Supermarkt, ¨e 59	r Zucker 58
e Garantie, -n 59	e Miete, -n 60		e Zwiebel, -n 59
e Gegenwart 64	e Milch 58		
s Gemüse 58	r Nagel, ¨ 63		
s Geschirr 59	s Obst 57		
	s Pferd, -e 62		

Lektion 5

Adjektive

billig 59	enttäuscht 62	haltbar 59	treu 62
dumm 62	frisch 58	merkwürdig 60	weiter 63
dünn 62	gesetzlich 58	müde 63	zufällig 58
durchschnittlich 58	gleichzeitig 60	nötig 61	
ehrlich 62	grundsätzlich 65	süß 58	

Adverbien

beinahe 64	jedesmal 58	noch mehr 58
glücklicherweise 62	längst 58	vorhin 63
	neulich 60	vorwärts 62

Funktionswörter

bevor 58
falls 65
so daß 62

Kerngrammatik

„sein zu" + Infinitiv (§ 27)

Auf dem Bild kann man einen Jungen sehen. – Auf dem Bild <u>ist</u> ein Junge <u>zu sehen</u>.

Generalisierende Relativpronomen (§ 10)

Kaufen Sie nur <u>etwas</u>,   <u>was</u> Sie bezahlen können.
Wir verkaufen Ihnen <u>nichts</u>,   <u>worüber</u> Sie sich später ärgern müssen.
Bei uns finden Sie <u>alles</u>,   <u>wofür</u> Sie sich interessieren.

Konjunktiv II der Vergangenheit (§ 21 und 22)

Gegenwart: Wenn das Gold nicht so schwer <u>wäre</u>, <u>behielte</u> er es.
               Wenn Hans eine Kuh <u>hätte</u>, <u>könnte</u> er immer Milch <u>trinken</u>.

Vergangenheit: Wenn das Gold nicht so schwer <u>gewesen wäre</u>, <u>hätte</u> er es <u>behalten</u>.
               Wenn Hans eine Kuh <u>gehabt hätte</u>, <u>hätte</u> er immer Milch <u>trinken können</u>.

Ausdruck von Vermutungen (§ 26 d)

Mit Modalverben:

Das | <u>könnte</u> | eine Anzeige für eine Frauenzeitschrift sein.
     | <u>dürfte</u> |
     | <u>muß</u> |

Mit Futur:
Das   <u>wird</u>   eine Anzeige für eine Frauenzeitschrift sein.

„lassen" mit Verbativergänzung (§ 26 c)

Präsens: Wenn ich teure Geräte brauche, <u>lasse</u> ich <u>mich</u> in einem Fachgeschäft <u>beraten</u>.
Perfekt: Ich habe <u>mir</u> das Kleid <u>zurücklegen lassen</u>, weil ich kein Geld dabeihatte.

1. Sagen Sie es anders.

Nach Übung

1

im Kursbuch

a) Auf dem Bild kann man einen Jungen sehen.
Auf dem Bild ist ein Junge zu sehen.

b) Der Motor kann nicht repariert werden. Er ist total kaputt.
Der Motor ist nicht zu reparieren.

c) Diesen Fernseher kann man nicht mehr reparieren.

d) Hier kann man kein Wort verstehen. Es ist viel zu laut.

e) Draußen hört man kein Geräusch. Es ist völlig ruhig.

f) Solche Brillen kann man in diesem Geschäft nicht kaufen.

g) Der Vertrag kann nicht gekündigt werden.

2. Was kann man auch sagen?

Nach Übung

1

im Kursbuch

a) Das könnte eine Anzeige für Krawatten sein.
Ⓐ Das ist vermutlich eine Anzeige für Krawatten.
Ⓑ Das ist keine Anzeige für Krawatten.
Ⓒ Ich frage mich, ob das eine Anzeige für Krawatten ist.

b) Wir könnten das Auto verkaufen.
Ⓐ Wir werden das Auto höchstwahrscheinlich verkaufen.
Ⓑ Wir hätten die Möglichkeit, das Auto zu verkaufen.
Ⓒ Wir wissen nicht, ob wir das Auto verkaufen sollen.

c) Solche Werbung dürfte man nicht erlauben.
Ⓐ Ich bin der Meinung, daß man solche Werbung verbieten sollte.
Ⓑ Solche Werbung wird man wahrscheinlich verbieten.
Ⓒ Es könnte sein, daß man solche Werbung in Zukunft verbietet.

d) Der Elefant auf dem Foto dürfte nicht echt sein.
Ⓐ Der Elefant auf dem Foto ist auf keinen Fall echt.
Ⓑ Der Elefant auf dem Foto ist bestimmt nicht echt.
Ⓒ Ich bin ziemlich sicher, daß der Elefant auf dem Foto nicht echt ist.

e) Der Kühlschrank muß ein neues Modell sein.
Ⓐ Der Kühlschrank dürfte ein neues Modell sein.
Ⓑ Der Kühlschrank ist angeblich ein neues Modell.
Ⓒ Der Kühlschrank ist natürlich ein neues Modell.

f) Der Junge auf dem Foto wird wohl fünf Jahre alt sein.
Ⓐ Der Junge auf dem Foto wird bald fünf Jahre alt.
Ⓑ Der Junge auf dem Foto ist kaum fünf Jahre alt.
Ⓒ Der Junge auf dem Foto ist wahrscheinlich fünf Jahre alt.

Lektion 5

Nach Übung

4

im Kursbuch

3. Wiederholung: Adjektive. Ergänzen Sie mit Komparativ oder Superlativ.

Wir sind das (groß) _____ (a) Kaufhaus in Europa. Wir haben die (gut) _____ (b) Qualität und die (günstig) _____ (c) Preise. Kein anderes Kaufhaus hat (viel) _____ (d) Erfolg als wir. Und wir haben die (glücklich) _____ (e) und (zufrieden) _____ (f) Kunden. Nirgendwo werden Sie Verkäufer finden, die (freundlich) _____ (g) und (höflich) _____ (h) sind als unsere. Wollen Sie uns nicht auch endlich kennenlernen? Warten Sie nicht (lang) _____ (i) !

Das alles können Sie bei uns kaufen:

– die (schön) _____ (j) Reisen in ferne Länder
– die (bequem) _____ (k) Möbel für Ihre Wohnung
– Kleider von den (berühmt) _____ (l) Modemachern
– die (elegant) _____ (m) Schuhe für die ganze Familie
– das (frisch) _____ (n) Obst und Gemüse
– die (haltbar) _____ (o) und (preiswert) _____ (p) Elektrogeräte
– die (spannend) _____ (q) Videofilme

Und tausend andere Dinge! Kommen Sie zu uns! Jetzt!

Nach Übung

6

im Kursbuch

4. Schreiben Sie.

A. Notieren Sie Sätze aus der Werbung, die Sie vom Fernsehen oder Radio in Deutschland kennen.

B. Übersetzen Sie Sätze aus der Werbung, die in Ihrem Land aktuell sind.
(Für diese Übung gibt es natürlich keine Lösung im Schlüssel. Vergleichen Sie Ihre Ergebnisse im Kurs.)

Nach Übung

7

im Kursbuch

5. Wiederholung: Nomen. Was man essen und trinken kann. Ergänzen Sie auch den Artikel.

a) _der____Z_____ : schmeckt süß, ist weiß und leider schlecht für die Zähne
b) _____M_____ : ein weißes Getränk; kommt von der Kuh; ist wichtig für Babies
c) _____M_____ : daraus backt man Brot und Kuchen
d) _____Sch_____ : braun, süß; Kinder essen sie besonders gern
e) _____F_____ : Tier; schwimmt im Wasser; kann man z.B. in der Pfanne braten
f) _____A_____ : Frucht, rund, wächst am Baum
g) _____T_____ : runde, rote Frucht; für Salate, Soßen und Suppen
h) _____S_____ : das wichtigste Gewürz; weiß; Bestandteil des Meerwassers
i) _____F_____ : kommt vom Rind, Schwein oder Huhn; wird vor dem Essen gekocht oder gebraten
j) _____B_____ : ein Milchprodukt; wird zum Frühstück aufs Brötchen gestrichen
k) _____E_____ : kommt vom Huhn; ist weiß oder braun

l) _____ *W* _____ : alkoholisches Getränk; rot oder weiß

m) _____ *K* _____ : Milchprodukt in vielen Sorten; wird aufs Brot gelegt oder zum Kochen verwendet

n) _____ *K* _____ : in Deutschland das wichtigste Gemüse; braune Schale; wächst unter der Erde

o) _____ *E* _____ : kalte Süßspeise; wird im Sommer auf der Straße gegessen

p) _____ *K* _____ : schwarzes, heißes Getränk; wird häufig mit etwas Milch und Zucker getrunken

q) _____ *Sch* _____ : Getränk mit hohem Alkoholanteil; wird aus kleinen Gläsern getrunken

r) _____ *M* _____ : wird in vielen verschiedenen Sorten aus Früchten hergestellt; für das Frühstück

6. Sagen Sie es anders.

Nach Übung
7
im Kursbuch

Partizip I: packen → gepackt

a) Die Kunden müssen mit ihren Einkaufswagen, die vollgepackt sind, an der Kasse warten.
   Die Kunden müssen mit ihren vollgepackten Einkaufswagen an der Kasse warten.

Partizip II: leuchten → leuchtend

b) Die Kunden werden durch Obstgebirge, die wie Licht leuchten, angelockt.
   Die Kunden werden durch wie Licht leuchtende Obstgebirge angelockt.

c) Durch spezielles Rotlicht wirken auch Schweineschnitzel, die dünn geschnitten sind, wie Gourmetware.
d) Die Kunden, die an der Kasse stehen, müssen lange warten.
e) Waren, die in Augenhöhe liegen, sind meistens teuer.
f) Die Kundin fragt eine Verkäuferin, die in der Gemüseabteilung arbeitet.
g) Die Kunden werden durch Kameras, die ständig laufen, kontrolliert.
h) 20 bis 35 Prozent der Lebensmittel, die gekauft wurden, kommen in den Mülleimer.
i) Die Frischware, die frühmorgens geliefert wird, wird sofort in die Regale gestellt.

7. Partizip I und Partizip II. Welches Partizip kann man als Adjektiv verwenden?

Nach Übung
7
im Kursbuch

a) Preise / steigen: *die steigenden Preise, die gestiegenen Preise*
b) Lebensmittel / kaufen: *die gekauften Lebensmittel*
c) Milch / kochen: _____
d) Radio / reparieren: _____
e) Auto / parken: _____
f) Kleid / umtauschen: _____
g) Auto / bremsen: _____
h) Zähne / putzen: _____
i) Kleider / waschen: _____
j) Ware / einpacken: _____

Lektion 5

k) Geld / versprechen: _____

l) Verkäuferin / suchen: _____

m) Geschirr / spülen: _____

n) Frau / spülen: _____

o) Kunden / warten: _____

p) Kinder / rufen: _____

Nach Übung

7

im Kursbuch

8. Was ist das?

Typisch für das Deutsche ist die Möglichkeit, zwei oder mehr Nomen zu einem neuen Wort zusammenzusetzen. Sie können die meisten dieser zusammengesetzten Wörter verstehen, wenn Sie die Bedeutung der einzelnen Wörter kennen. Beginnen Sie immer beim letzten Wort:

a) Suppendosen<u>wand</u>

   Was ist das? ⟶ *Das ist eine Wand.*

   Eine Wand _____ woraus? *Aus Dosen.*

   Dosen _____ gefüllt womit? *Mit Suppe.*

b) Erdbeermarmeladen<u>gläser</u>

   Was ist das? ⟶ *Das sind*

   _____ gefüllt womit? *Mit Marmelade.*

   _____ woraus?

c) Milchprodukt<u>eregal</u>

   Was ist das? ⟶ *Das ist*

   _____ wofür?

   _____ woraus?

d) Frischfleisch<u>abteilung</u>

   Was ist das? ⟶

   _____ wofür?

   Wie ist _____ ?

e) Rotlicht<u>färbung</u>

   Was ist das? ⟶

   _____ wodurch?

   Wie ist _____ ?

f) Milchtüten<u>mauer</u>

   Was ist das? ⟶

   _____ woraus?

   _____ gefüllt womit?

g) Getränkekühlschrank<u>tür</u>

   Was ist das? ⟶

   _____ wofür?

   _____ wofür?

9. Bilden Sie selbst Nomen.

Nach Übung

7

im Kursbuch

a) Sie brauchen <u>Pflanzen</u> für den <u>Teich</u> in Ihrem <u>Garten</u>. Was für Pflanzen brauchen Sie?

_____

b) In welcher <u>Abteilung</u> (eines Kaufhauses) kauft man <u>Waren</u> aus <u>Leder</u>?

c) Wie heißt der <u>Deckel</u> für einen Topf, in dem man Braten macht?

d) Wie nennt man den <u>Beginn</u> der Ferien im Sommer?

e) Wie nennt man einen Kurs, in dem Kinder lernen, wie man Ski fährt?

f) Wie nennt man ein Haus, das sehr hoch ist und in dem es keine Wohnungen gibt, sondern nur Büros?

g) Was für eine Fabrik stellt Tüten aus Plastik her?

h) Wie heißt der Platz, auf dem die Kunden (eines Geschäfts) parken können?

10. Ergänzen Sie.

Nach Übung

8

im Kursbuch

ober-   recht-   mittler-   unter-   hinter-   link-   vorder-

a) Im _____ _____ Fach sind Nadeln für Plattenspieler.

b) Im _____ _____ Fach sind Schalter.

c) Im _____ _____ Fach sind Stecker.

d) Im _____ _____ Fach sind Birnen.

e) Das _____ _____ Radio kostet 580,– DM.

f) Das _____ _____ Radio kostet 600,– DM.

g) Das _____ _____ Radio kostet 710,– DM.

h) Das _____ _____ Radio kostet 440,– DM.

i) Das _____ _____ Radio kostet 890,– DM.

j) Das _____ _____ Radio kostet 930,– DM.

11. Was paßt zusammen?

Nach Übung

8

im Kursbuch

a) Es dauert durchschnittlich 20 Minuten,

b) Damit der Käse besser aussieht,

c) Es ist gesetzlich zugelassen,

d) Es ist kein Zufall,

e) Weil sich die meisten Menschen morgens zuerst die Zähne putzen,

f) Weil die Kunden mehr kaufen als sie brauchen,

1 steht die Zahnpasta vor der Seife.

2 daß das Licht in der Fleischabteilung rötlich ist.

3 werden viele Lebensmittel in den Müll geworfen.

4 bis die Kunden mit vollem Wagen an der Kasse stehen.

5 wird er mit gelblichem Licht beleuchtet.

6 daß man die billigen Waren länger suchen muß.

Lektion 5

Nach Übung

9

im Kursbuch

12. Wiederholung: Imperativ.

→ Themen neu 1, Arbeitsbuch: Seiten 71, 75 und 76

a) Nehmen Sie nur, was auf Ihrer Einkaufsliste steht.

Nimm nur, was auf deiner Einkaufsliste steht.

Nehmt nur, was auf eurer Einkaufsliste steht.

b) Kaufen Sie nur, was Sie wirklich brauchen.

c) Geben Sie nicht zuviel Geld aus.

d) Schreiben Sie vor dem Einkaufen eine Einkaufsliste.

e) Essen Sie etwas, bevor Sie einkaufen gehen. (Wer Hunger hat, kauft mehr!)

f) Lesen Sie die Preise genau, bevor Sie etwas in den Wagen legen.

Nach Übung

9

im Kursbuch

13. Ergänzen Sie.

→ Übung 24 auf Seite 19

Wenn ein Relativsatz sich auf etwas Unbestimmtes bezieht (z. B. „alles", „etwas", „manches", „nichts"), dann werden als Relativpronomen nicht nur einfache Fragewörter („was", „wo" usw.) benützt, sondern auch Fragewörter mit Präpositionen, wie z. B. „womit", „worüber", „wonach" usw.

Ergänzen Sie die Sätze mit Relativpronomen (+ Präposition), einfachen Fragewörtern oder Fragewörtern mit Präpositionen.

a) Ich kaufe nur technische Geräte, _____ ich mich vorher informiert habe.

b) Ich kaufe nur etwas, _____ ich mich vorher informiert habe.

c) Ich kaufe nur, _____ auf meinem Einkaufszettel steht.

d) Ich schreibe vorher alle Sachen auf, _____ ich kaufen möchte.

e) Ich schenke nur etwas, _____ ich mich selbst freuen würde.

f) Ich kaufe nur, _____ ich wirklich brauche.

g) Ich kaufe am liebsten dort ein, _____ ich eine große Auswahl habe.

h) Ich kaufe am liebsten in den Geschäften ein, _____ ich eine große Auswahl habe.

i) Seien Sie kritisch, kaufen Sie nicht sofort alles, _____ Ihre Hand impulsiv greift.

j) Kaufen Sie nichts, _____ im Fernsehen viel Werbung gemacht wird – Sie müssen die Werbung mitbezahlen.

k) In dem kleinen Geschäft um die Ecke kaufe ich nur die Dinge, _____ ich beim Einkauf im Supermarkt nicht gedacht habe.

l) In dem kleinen Geschäft um die Ecke kaufe ich nur das, _____ ich beim Einkauf im Supermarkt nicht gedacht habe.

14. Was kann man auch sagen?

Nach Übung

10

im Kursbuch

a) Es gelingt mir nicht, den Computer in Gang zu setzen.
A Ich möchte den Computer in den Flur stellen, aber ich schaffe es nicht.
B Ich kann den Computer nicht starten.
C Der Computer ist so schwer, daß ich ihn nicht heben kann.

b) Heute habe ich zufällig meine Freundin getroffen.
A Ich habe heute meine Freundin getroffen, obwohl wir nicht verabredet waren.
B Ich habe heute eine neue Freundin gefunden.
C Heute wollte ich meine Freundin auf jeden Fall treffen.

c) Mein Sohn ist schon längst erwachsen.
A Mein Sohn ist viel größer als mein Mann und ich.
B Mein Sohn wächst schneller, als ich dachte.
C Mein Sohn ist schon lange kein Kind mehr.

d) Wir essen durchschnittlich zweimal pro Woche Fleisch.
A Wir essen an jedem Wochentag mittags und abends Fleisch.
B In der Woche essen wir etwa zweimal Fleisch; manchmal öfter und manchmal seltener.
C Wir sind zwei Personen und essen jede Woche Fleisch.

e) Mich bringt niemand dazu, im Supermarkt einzukaufen.
A Ich werde nie in einem Supermarkt einkaufen.
B Niemand bringt mich zum Supermarkt, wenn ich dort einkaufen will.
C Ich weiß schon, daß man im Supermarkt gut einkauft.

15. Wo kaufen Sie am liebsten ein? Schreiben Sie.

Nach Übung

10

im Kursbuch

Es gibt verschiedene Möglichkeiten, den Grund für etwas auszudrücken:

Ich kaufe am liebsten per Katalog. → sehr bequem sein

Ich kaufe am liebsten per Katalog, weil das sehr bequem ist.
Ich kaufe am liebsten per Katalog, denn das ist sehr bequem.
Ich kaufe am liebsten per Katalog. Das ist nämlich sehr bequem.
Wegen der größeren Bequemlichkeit kaufe ich gern per Katalog.
Der Einkauf per Katalog ist sehr bequem. Deshalb (darum, daher) mache ich das am liebsten.

a) Ich kaufe am liebsten im Supermarkt. → dort große Auswahl haben
b) Ich kaufe am liebsten im Fachgeschäft. → dort gut beraten werden
c) Ich kaufe nicht gern in der Fußgängerzone. → dort Parkplatzprobleme haben

Lektion 5

Nach Übung
11
im Kursbuch

16. Welche Satzanfänge passen zu a), welche zu b), welche zu beiden?

keine ~~Ahnung~~ haben   ~~annehmen~~   behaupten   bezweifeln   wissen wollen   klar sein
feststellen   sich fragen   gehört haben   fürchten   gelesen haben   denken   vermuten
scheinen   überzeugt sein   vergessen haben   sich erinnern   glauben
sicher sein   nicht mehr wissen   ~~wissen~~   sich vorstellen können

a) ... warum Häuser und Wohnungen in Deutschland so teuer sind.
b) ... daß Häuser und Wohnungen in Deutschland sehr teuer sind.

Nur zu a) passen: Nur zu b) passen:

Ich habe keine Ahnung, ...   *Ich nehme an, ...*

Zu a) und b) passen:

Ich weiß, ...

Nach Übung
14
im Kursbuch

17. Welches Nomen paßt?

Zinsen Konto Automat Überweisung Summe Scheckkarte Staatsangehörigkeit Miete

a) Frau Schachtner muß für ihren Kredit mehr als elf Prozent _____ pro Jahr
   bezahlen.
b) Der Bankangestellte hat bemerkt, daß Herr Fitzpatrick kein Deutscher ist. Deshalb fragt er
   ihn nach seiner _____ .
c) Manche Leute verstecken ihr Geld in der Wohnung, aber natürlich ist es besser, ein
   _____ bei einer Bank zu haben.
d) Vor der Bank befindet sich ein _____ . Dort kann man Tag und Nacht
   Geld bekommen.
e) Frau Schachtner verdient 3106 DM. Davon muß sie jeden Monat ungefähr 1800 DM für
   die _____ ihrer Wohnung und für Versicherungen bezahlen.
f) Herr Fitzpatrick möchte gerne Euroschecks haben. Dafür muß er aber zuerst eine
   _____ beantragen.
g) Sie wollen bei uns einen Kredit beantragen? An welche _____ haben Sie
   denn gedacht?
h) Herr Fitzpatrick hat ein Stipendium. Er bekommt jeden Monat eine _____
   von der Friedrich-Ebert-Stiftung.

18. Rund ums Geld. Jeweils ein Satz paßt nicht.

Nach Übung

14

im Kursbuch

a) Sie haben in einem Restaurant gegessen und wollen gehen. Was sagen Sie?
- A Ich möchte bitte bezahlen.
- B Kann ich bitte zahlen?
- C Bezahlen Sie das Essen, bitte.
- D Bringen Sie mir bitte die Rechnung.

b) Sie erzählen von einem Nachbarn, der eine Fabrik und zwei Hotels besitzt.
- A Er verdient sehr viel Geld.
- B Er ist unglaublich teuer.
- C Er hat ein sehr hohes Einkommen.
- D Er ist sehr reich.

c) Frau S. hat nicht genug Geld, um ihr neues Auto zu bezahlen.
Was kann sie tun?
- A Sie kann einen Kredit bei ihrer Bank aufnehmen.
- B Sie kann sich das Geld von Freunden leihen.
- C Sie kann sich das Geld von der Bank schenken lassen.
- D Sie kann in eine Spielbank gehen und versuchen, Geld zu gewinnen.

d) Sie möchten im Urlaub in die USA fahren. Was sagen Sie in der Bank?
- A Ich möchte für diesen Betrag Dollar mieten.
- B Ich möchte diesen Betrag in Dollar umtauschen.
- C Wechseln Sie mir bitte diesen Betrag in Dollar.
- D Geben Sie mir bitte für diesen Betrag Dollar.

e) Die Firma K. hat Ihnen eine Rechnung geschickt. Sie gehen zur Bank.
- A Ich möchte diese Summe an die Firma K. überweisen.
- B Ich möchte diese Summe auf das Konto der Firma K. einzahlen.
- C Ich möchte Geld vom Konto der Fima K. abheben.

19. Was wäre, wenn ...? Bilden Sie Sätze.

Nach Übung

16

im Kursbuch

a) Hans: Gold nicht weggeben → reicher Mann sein

Wenn Hans das Gold nicht weggegeben hätte, wäre er ein reicher Mann gewesen.

b) Frau Schachtner: den Kredit nicht nehmen → das Auto nicht kaufen können
c) Frau Kunze: die Anzeige nicht lesen → ein anderes Waschmittel nehmen
d) Herr Berlacher: sich einen Einkaufszettel schreiben → das Obst nicht vergessen
e) Herr Gaus: die Küchenmaschine im Fachgeschäft kaufen → mehr Auswahl haben
f) Frau Lechner: vorher die Preise vergleichen → den Fernsehapparat billiger bekommen
g) Herr Zander: keine Versicherung haben → den Schaden selbst bezahlen müssen
h) Frau Simmet: zum Supermarkt fahren → sofort einen Parkplatz finden

Lektion 5

Nach Übung

16

im Kursbuch

20. Was paßt zusammen?

a) Der Stein ist viel zu schwer,
b) Um die Steine nicht zu beschädigen,
c) Hans war erst glücklich,
d) Hans ist ehrlich und naiv. Deshalb merkt er nicht,
e) Er war so glücklich,
f) Zu Hause erzählte Hans seiner Mutter,

1 daß die Leute ihn betrügen.
2 daß er Gott auf Knien dankte.
3 deshalb kann ihn niemand allein aufheben.
4 legte Hans sie ganz vorsichtig auf den Boden.
5 was geschehen war.
6 als er gar nichts mehr besaß.

Nach Übung

16

im Kursbuch

21. Welches Nomen paßt nicht?

a) Hals, Kopf, Arm, Bein, Schuh, Fuß, Ohr, Nase
b) Pferd, Kuh, Schwein, Fleisch, Katze, Hund, Huhn
c) Metzger, Bäcker, Bauer, Ingenieur, Apotheker, Medizin
d) Braten, Schnitzel, Steak, Salat

e) Durst, Hunger, Angst, Appetit
f) Käse, Milch, Joghurt, Wurst, Butter
g) Bürgermeister, Präsident, Politiker, Polizist, Minister, Kanzler
h) Gras, Blume, Haus, Wiese, Baum
i) Zukunft, Vergangenheit, Gegenwart, Arbeitszeit

Nach Übung

18

im Kursbuch

22. Wiederholung: Personenbezogene Adjektive. Welcher Satz paßt nicht?

a) Sie wollen Ihrer Freundin ein Kompliment über ihr Ausssehen machen.
A Du bist wirklich sehr hübsch!
B Du hast eine wunderbare Figur!
C Wie schön du heute wieder bist!
D Du siehst phantastisch aus!
E Du bist ein netter Mensch!
F Ich finde dich sehr attraktiv!

b) Sie machen sich Sorgen um Ihren Sohn, weil er zu wenig ißt.
A Du bist viel zu dünn, mein Kind!
B Du bist ganz mager, weil du nichts ißt!
C Mein Gott, bist du schmal! Iß doch endlich mal etwas!
D Du mußt ein bißchen dicker werden!
E Du bist zu schwer für dein Alter!

c) Sie mögen Ihren neuen Kollegen sehr. Was erzählen Sie Ihrer Freundin?
A Er ist immer so nett und freundlich!
B Er ist wirklich sehr merkwürdig!
C Er ist ein wunderbarer Mensch!
D Er ist so lustig und hat immer gute Laune!

E Ich finde ihn einfach phantastisch!
F Er ist richtig lieb, weißt du!

d) Ihre Tochter hat einen neuen Freund, der Ihnen gar nicht gefällt. Was sagen Sie zu Ihrer Frau?
A Das ist ein ziemlich verrückter Typ, findest du nicht?
B Ich finde ihn furchtbar!
C Was für ein schrecklicher Mensch!
D Er ist mir furchtbar unsympathisch!
E Er ist bestimmt sehr zuverlässig!
F Er hat einen merkwürdigen Charakter, finde ich.

e) Was würden wohl die meisten Leute über Hans („Hans im Glück") sagen?
A Er ist ja ganz nett, aber leider furchtbar dumm.
B Er ist schrecklich naiv.
C Oh je, ist der Typ doof!
D Er ist sehr intelligent!
E Der muß doch völlig verrückt sein !

23. Bei Rösners hat jemand geklingelt. Wie passen die Dialogteile zusammen?

Nach Übung
20
im Kursbuch

a) Frau Rösner? Guten Tag! Haben Sie einen Moment Zeit für mich?

b) Sie haben doch sicher auch immer Ärger mit dem Abfluß in der Badewanne, oder nicht?

c) Wollen Sie das neue Aquaflush nicht einmal probieren?

d) Im Abfluß sind immer Bakterien. Haben Sie denn keine Angst vor Krankheiten?

e) Ich kann Ihnen ein sehr gutes Angebot machen: Bei zwei Flaschen sparen Sie 24 DM.

1 Der Preis ist mir völlig egal. Ich will das Zeug nicht haben.

2 Nein, so ein chemisches Zeug nehme ich nicht.

3 Wieso? Wir sind alle ganz gesund.

4 Nein, damit habe ich eigentlich keine Probleme.

24. Schreiben Sie einen Brief.

Nach Übung
20
im Kursbuch

Sie haben vor acht Monaten eine neue Bohrmaschine gekauft. Jetzt ist sie kaputt, obwohl Sie sie nicht falsch bedient haben. Das Geschäft, in dem Sie die Bohrmaschine gekauft haben, muß nur ein halbes Jahr lang Garantie geben; aber Sie brauchen die Reparatur trotzdem nicht selbst zu bezahlen, denn die Firma, die das Gerät produziert hat, gibt darauf ein Jahr Garantie. (Es ist allerdings möglich, daß Sie für Ersatzteile etwas bezahlen müssen.) Auf jeden Fall müssen Sie die Maschine ans Werk schicken und beschreiben, was daran kaputt ist.

Schreiben Sie einen solchen Brief. Hier sind einige Hilfen:

– Maschine vor acht Monaten gekauft, beim Eisenwarengeschäft Stephens in Münster

– Funktionierte sehr gut

– Jetzt kaputt: läuft unregelmäßig, nicht mehr schnell genug

– Nichts falsch gemacht, Bedienungsvorschriften genau beachtet

– Brauche die Maschine dringend, schnell zurückschicken

– Bitte um kostenlose Reparatur

– Garantiekarte und Kassenzettel liegen dem Brief bei

Schreiben Sie ganz oben Ihre eigene Adresse und dann die Adresse der Firma, die die Bohrmaschine hergestellt hat. Zum Beispiel etwa so:

(Zu dieser Übung finden Sie im Schlüssel nur einen Vorschlag. Sie können Ihre Lehrerin oder Ihren Lehrer bitten, den Brief zu lesen und zu korrigieren.)

Schwarz und Becker
Elektrowerkzeuge
Postfach 4711
33333 Drillingen

..., den ...

Meine Bohrmaschine Typ „S+B HSS-Electronic 1388"

Sehr geehrte Damen und Herren,

vor acht Monaten habe ich ...

Lektion 5

Nach Übung

20

im Kursbuch

25. Wiederholung: Dinge im Haushalt.

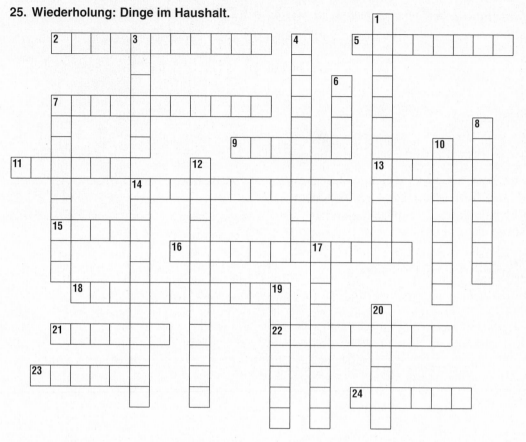

A Lösen Sie das Rätsel.

Waagerecht:
2   Steht in der Küche und hält Lebensmittel frisch.
5   Damit trocknet man sich nach dem Waschen ab.
7   Ein kleines Holzstück mit rotem Kopf, mit dem man Feuer machen kann.
9   Ein Gegenstand wie ein Stuhl, aber breiter und bequemer.
11 Darauf legt man die Speisen, die man essen will.
13 Damit ißt man zum Beispiel Suppe.
14 Ein Stückchen Stoff oder weiches Papier, mit dem man sich die Nase putzt.
15 Das liegt beim Waschbecken. Man benützt es, wenn man sich die Hände wäscht.
16 Ein Gegenstand aus Holz, Plastik oder Metall, über den man zum Beispiel Hemden oder
    Jacken hängt.
18 Ein Gerät, das Bilder produziert.
21 Wenn man verreist, transportiert man darin seine Kleidung.
22 Darauf schreibt man Urlaubsgrüße an seine Freunde.
23 Ein scharfer Gegenstand aus Metall, mit dem man zum Beispiel Papier schneidet.
24 Eine Uhr, die meistens neben dem Bett steht.

Senkrecht:

1 Ein sehr scharfer kleiner Gegenstand aus Metall, der von Männern im Badezimmer benutzt wird.

3 Ein Gegenstand, den man öffnen und schließen kann und der vor Regen schützt – wenn man ihn nicht zu Hause gelassen hat …

4 Ein elektrischer Apparat, mit dem man die Teppiche und den Fußboden ohne große Anstrengung reinigen kann.

6 Ein rundes Spielzeug aus Plastik oder Leder.

7 Ein kleiner Gegenstand aus Metall, der zum Beispiel zu einer Tür, einer Schublade oder einem Koffer gehört.

8 Ein Plan, der die Monate und Tage des Jahres zeigt.

10 Das braucht man bei kleinen Verletzungen.

12 Eine runde, schwarze Scheibe, mit der man Musik hören kann (wird heute kaum noch produziert).

14 Zeigt an, wie hoch die Temperatur ist.

17 Damit kann man schreiben.

19 Das liegt in der Wohnung auf dem Boden; es ist aus Wolle.

20 Ein Werkzeug aus Holz und Metall zum Einschlagen von Nägeln.

B. Ordnen Sie die Nomen.

der _____   die _____

    _____   _____

    _____   _____

    _____   _____

    _____   das _____

    _____   _____

    _____   _____

    _____   _____

    _____

    _____

Lektion 6

Kernwortschatz

Verben

anbieten 71
anrufen 69
ausmachen 69
bestellen 68
bestimmen 70
beziehen 72
blühen 74
duzen 70
einladen 68
einschenken 77
erwarten 75
fallen 77

fühlen 76
gehören 72
gewöhnen 70
gucken 77
hinlegen 76
informieren 72
kennenlernen 69
liegenlassen 75
malen 77
mißverstehen 71
nennen 72
operieren 76

parken 76
rauchen 68
reden 76
regnen 74
rennen 74
reservieren 75
schaffen 74
schicken 72
schlafen 71
siezen 71
spielen 77
sterben 76

stören 69
tanzen 74
treffen 70
verabreden 68
verändern 76
verbinden 69
verbrennen 77
vergleichen 68
versprechen 74
vorstellen 68
zumachen 71
zusammenfassen 73

Nomen

r Absender, - 72
e / r Angehörige, -n 70
e Art 71
e Aufregung, -en 76
e Bank, ⁻e 76
e / r Bekannte, -n 68
s Café, -s 68
e Decke, -n 77
r Frühling 74
r Fuß, ⁻e 71
r Gast, ⁻e 68
s Gericht, -e 70

s Gesetz, -e 76
s Gespräch, -e 68
s Getränk, -e 68
r Gruß, ⁻e 73
e Halbpension 72
s Interesse, -n 72
e Jahreszeit, -en 72
e Kasse, -n 71
s Krankenhaus, ⁻er 76
r Krankenwagen, - 76
r Kuß, Küsse 73

e Lust 71
s Mädchen, - 76
r Moment, -e 69
r Mut 77
e Nachricht, -en 74
e Nase, -n 77
e Neuigkeit, -en 75
s Ohr, -en 77
r Prospekt, -e 72
e Sache, -n 64
r Schnee 77
s Schreiben 73
r See, -n 75

r Sommer 74
r Stein, -e 76
e Übersetzung, -en 77
r Unterschied, -e 71
e Unterschrift, -en 72
s Urteil, -e 70
r Vorname, -n 71
e Wäsche 77
r Wind 75
e Wolke, -n 77

Adjektive

angenehm 69
bekannt 71
dick 73
echt 75
ernst 76
faul 74
glücklich 74

höflich 68
kompliziert 76
kurz 76
langsam 74
leise 71
männlich 76
möglich 70

nah 70
rein 77
ruhig 72
schlimm 74
sonnig 72
wunderbar 74

Adverbien

anders 71
früher 73
hierhin 76
oben 72
überall 74

Lektion 6

Funktionswörter

bloß 76	jemand 76	niemand 76	ziemlich 77
diesmal 72	kaum 76	voraus- 72	
hoffentlich 73	leider 69	weshalb 69	
jedoch 70	nämlich 74	wohl 71	

Kerngrammatik

Indirekte Rede: Konjunktiv I (§ 19)

Indikativ
Sie kommt aus einem Dorf.
Sie sagt zu allen Leuten „Du".
Sie hat vier Tische aufgestellt.

Ich bin zu Hause.
Warum bist du hier?
Ist heute Markttag?
Wir sind doch nicht verheiratet!
Seid ihr denn nicht im Urlaub?
Sind die Kinder noch nicht im Bett?

Konjunktiv I
Man sagt, sie <u>komme</u> aus einem Dorf.
Ihr Mann behauptet, sie <u>sage</u> zu allen Leuten „Du".
Sie sagt, sie <u>habe</u> nur drei Tische aufgestellt.

Wer hat gesagt, ich <u>sei</u> nicht zu Hause?
Dein Vater hat mir gesagt, du <u>seist</u> krank.
Ich habe gehört, heute <u>sei</u> Markttag.
Wer hat denn gesagt, daß wir verheiratet <u>seien</u>?
Alle haben geglaubt, ihr <u>seiet</u> im Urlaub.
Ich hatte gedacht, sie <u>seien</u> schon im Bett.

Indikativ	*Konjunktiv I*		*Konjunktiv II*
sie gehen	(sie gehen)	→	sie würden gehen / sie gingen
sie fahren	(sie fahren)	→	sie würden fahren / sie führen

Ausdrücke mit „es" (§ 11)

Pronomen: Du hast <u>das Auto</u> verkauft.   Du hast <u>es</u> verkauft.
Ich habe dir versprochen, <u>daß ich schreibe</u>. Ich habe <u>es</u> dir versprochen.

Unpersönliches Pronomen: *Subjekt:*   Es regnete in Strömen.
Akkusativergänzung: Du hast es gut!

Ersatzsubjekt: <u>Es</u> ist schade, daß es bei der Hinfahrt so geregnet hat.
(Daß es bei der Hinfahrt so geregnet hat, ist schade.)

Ersatzwort im Vorfeld von subjektlosen Passivsätzen: <u>Es</u> wird getanzt.

Lektion 6

Nach Übung

2

im Kursbuch

1. Sagen Sie es höflicher. Verwenden Sie den Konjunktiv II oder „würde" + Infinitiv.
→ Übung 10 auf Seite 12
Themen neu 2, Arbeitsbuch: Übungen 14-16, 20, 24 auf den Seiten 35-39

a) Kann ich bitte mit Frau Jasper sprechen?

Könnte ich bitte mit Frau Jasper sprechen?

b) Hilfst du mir bei meinem Umzug?

c) Geben Sie mir bitte den Zucker?

d) Haben Sie heute nachmittag Zeit?

e) Geht das?

f) Ich spreche lieber mit Herrn Kastor persönlich.

g) Trinken Sie ein Glas Wein mit mir?

h) Darf ich hier rauchen?

i) Sie müssen nächste Woche noch einmal kommen.

j) Ist es möglich, daß Sie mich morgen anrufen?

k) Warten Sie bitte einen Moment!

l) Paßt es Ihnen morgen um vier Uhr?

m) Darf ich dich um einen Gefallen bitten?

n) Du mußt mit Frau Sabitz über das Problem sprechen.

o) Können Sie mir bitte Ihren Namen sagen?

p) Ist es Ihnen recht, wenn ich morgen um acht Uhr komme?

Lektion 6

Nach Übung

2

im Kursbuch

2. Wie passen die Dialogteile zusammen?

a) Könnte ich bitte mit Frau Jost sprechen?

b) Darf ich mich vorstellen? Mein Name ist Meier.

c) Hoffentlich störe ich Sie nicht.

d) Darf ich Sie für morgen zum Essen einladen?

e) Hätten Sie morgen Abend Zeit?

f) Entschuldigung, ist hier noch frei?

1 Im Gegenteil, ich freue mich über Ihren Anruf.

2 Danke, sehr gern.

3 Ja, das paßt sehr gut.

4 Einen Moment bitte, ich verbinde Sie.

5 Natürlich, nehmen Sie doch Platz.

6 Freut mich sehr, Sie kennenzulernen.

3. Welcher Satz ist höflicher oder förmlicher?

Nach Übung

2

im Kursbuch

a) Ⓐ Setzen Sie sich!
   Ⓑ Nehmen Sie doch bitte Platz!

b) Ⓐ Hören Sie, hier wird nicht geraucht.
   Ⓑ Bitte entschuldigen Sie, aber das Rauchen ist hier nicht erlaubt.

c) Ⓐ Darf ich Sie nach Ihrem Namen fragen?
   Ⓑ Wie heißen Sie?

d) Ⓐ Das ist Herr Sander.
   Ⓑ Darf ich Ihnen Herrn Sander vorstellen?

e) Ⓐ Alles klar, ich komme gern!
   Ⓑ Ich freue mich sehr über Ihre Einladung

f) Ⓐ Schade, aber heute habe ich leider keine Zeit.
   Ⓑ Heute? Nein, das geht nicht.

g) Ⓐ Ist Frau Kurz da?
   Ⓑ Könnte ich mit Frau Kurz sprechen?

h) Ⓐ Entschuldigung, ist der Platz noch frei?
   Ⓑ Ist hier noch frei?

i) Ⓐ Ich muß jetzt gehen.
   Ⓑ Ich muß mich jetzt leider von Ihnen verabschieden.

j) Ⓐ Einverstanden.
   Ⓑ Das würde ich sehr begrüßen.

4. Wie sagen Sie es höflich? Jeweils ein Satz paßt nicht.

Nach Übung

2

im Kursbuch

a) Sie rufen Herrn Professor Stücken an. Seine Sekretärin ist am Telefon.

Ⓐ Kann ich bitte mit Herrn Professor Stücken sprechen?

Ⓑ Ich möchte gern mit Herrn Professor Stücken sprechen.

Ⓒ Ist Herr Professor Stücken im Moment zu sprechen?

Ⓓ Holen Sie doch mal den Professor ans Telefon.

b) Sie kommen in eine Gaststätte, die sehr voll ist. Da sehen Sie einen Tisch, an dem nur eine Person sitzt. Sie möchten sich gern dazusetzen.

Ⓐ Entschuldigung, ist hier noch frei?

Ⓑ Verzeihung, ist der Platz hier noch frei?

Ⓒ Können Sie mal Platz machen?

Ⓓ Darf ich mich zu Ihnen setzen?

Ⓔ Stört es Sie, wenn ich hier Platz nehme?

c) Sie befinden sich auf einem Kongreß. Dort treffen Sie Professor Stücken, mit dem Sie noch keinen persönlichen Kontakt hatten.

Ⓐ Darf ich mich vorstellen? Mein Name ist Meier.

Ⓑ Erlauben Sie, daß ich mich Ihnen bekanntmache? Mein Name ist Meier.

Ⓒ Wollen Sie nicht wissen, wie ich heiße? Mein Name ist Meier.

Ⓓ Wir haben uns noch nicht kennengelernt, Herr Professor. Mein Name ist Meier.

Lektion 6

d) Sie rufen bei Professor Stücken an. Er meldet sich am Telefon.

A Entschuldigen Sie, wenn ich stören sollte.
B Hoffentlich störe ich Sie nicht gerade.
C Wenn Sie sehr beschäftigt sind, rufe ich später wieder an.
D Hoffentlich stört uns jetzt niemand.

e) Sie haben einen Vortrag von Professor Stücken gehört. Nach der Veranstaltung möchten Sie mit ihm sprechen.

A Moment mal! Ich will mit Ihnen reden.
B Darf ich Sie kurz ansprechen?

C Entschuldigen Sie, daß ich Sie so einfach anspreche.
D Ich möchte Sie gerne etwas fragen.
E Darf ich Sie um ein kurzes Gespräch bitten?

f) Sie sind bei Professor Stücken in seinem Arbeitszimmer und würden gern eine Zigarette rauchen.

A Gestatten Sie, daß ich rauche?
B Erlauben Sie, daß ich rauche?
C Wo steht denn hier der Aschenbecher?
D Stört es Sie, wenn ich rauche?

Nach Übung

3

im Kursbuch

5. Konjunktiv I. Sagen Sie es anders.

a) Sie sagt, daß sie schon über dreißig Jahre auf dem Markt arbeitet.

   Sie sagt, sie arbeite schon über dreißig Jahre auf dem Markt.

b) Der Polizist meint, daß das „Du" eine Beleidigung ist.

_____

c) Sie behauptet, daß auf dem Land jeder zu jedem „Du" sagt.

_____

d) Sie argumentiert, daß man auch zum Herrgott „Du" sagt.

_____

e) Sie hat erzählt, daß sie unbedingt drei Tische haben muß.

_____

f) Sie erzählte, daß sie früher jeden Tag auf dem Wochenmarkt gearbeitet hat.

_____

g) Sie sagt, daß sie drei Fremdsprachen sprechen kann.

_____

h) Sie sagt, daß sie drei Fremdsprachen gelernt hat.

_____

i) Der Polizist sagte ihr, daß sie nur einen Tisch aufbauen darf.

_____

j) Dem Richter sagte sie, daß sie vom Land kommt.

_____

k) Dem Richter sagte sie, daß sie auf dem Land gewohnt hat.

_____

l) Dem Richter erklärte sie, daß sie das „Du" nicht böse meint.

_____

m) Dem Richter erklärte sie, daß sie das „Du" nicht böse gemeint hat.

_____

n) Sie sagte, daß sie in Zukunft jeden Polizisten mit „Sie" anspricht.

_____

o) Sie sagte, daß sie in Zukunft jeden Polizisten mit „Sie" ansprechen wird.

_____

6. Ihre Grammatik. Ergänzen Sie.

Nach Übung

3

im Kursbuch

Denken Sie daran, daß man nicht alle Formen des Konjunktivs I verwendet, sondern
– bei normalen Verben nur die 3. Person Singular;
– bei den Modalverben nur die 1. und 3. Person Singular.
– Nur beim Verb „sein" werden alle Formen gebraucht.
In der Alltagssprache werden auch die Formen mit „würde" + Infinitiv oder einfach die
Indikativformen verwendet.

Ergänzen Sie die Tabelle mit den Formen für Indikativ und Konjunktiv. Schreiben Sie nur die
Konjunktiv I-Formen, die man auch wirklich verwendet; ergänzen Sie die anderen Felder mit
den Konjunktiv II-Formen.

	gehen		wollen		haben		sein	
	Indikativ	Konj. I Konj. II	Indikativ	Konj. I Konj. II	Indikativ	Konj. I Konj. II	Indikativ	Konj. I Konj. II
ich	gehe	ginge						
du	gehst							
er / sie / es / man	geht	gehe						
wir								
ihr								
sie / Sie								

Lektion 6

Nach Übung

5

im Kursbuch

7. Stellen Sie den Nebensatz an den Anfang oder ans Ende.

→ Themen neu 2, Arbeitsbuch: Übung 9 auf Seite 22

a) Wenn Schüler sechzehn Jahre alt sind, werden sie von den Lehrern gesiezt.
 Schüler werden von den Lehrern gesiezt, wenn sie sechzehn Jahre alt sind.

b) Man sagt „Du" zueinander, wenn man befreundet oder gut miteinander bekannt ist.
c) Die Marktfrau mußte 2250 Mark Geldstrafe bezahlen, weil sie den Polizisten duzte.
d) Obwohl der Polizist es nicht wollte, hat die Marktfrau ihn geduzt.
e) Das Einkommen der Marktfrau wurde geschätzt, weil sie nicht sagen wollte, wieviel sie verdient.
f) Die Marktfrau baute drei Tische auf, obwohl nur ein Tisch erlaubt war.
g) Wenn man sich duzt, benutzt man den Vornamen.

Nach Übung

5

im Kursbuch

8. Leitlinien für das Duzen. Was ist richtig?

a) Zu Frauen sagt man „Sie", zu Männern sagt man „Du".
b) Freunde und Familienmitglieder duzen sich untereinander.
c) Jeder kann jedem das Du anbieten; da gibt es keine Höflichkeitsregeln.
d) Man kann jeden Fremden, den man auf der Straße trifft, duzen, wenn man ihn sympathisch findet.
e) Schüler, Studenten und Arbeiter duzen sich normalerweise untereinander.
f) Kinder und Jugendliche bis etwa 16 Jahre werden immer geduzt.
g) Wenn man von jemandem das Du angeboten bekommt, kann man es eigentlich nicht ablehnen. Das wäre eine Beleidigung.
h) Normalerweise bietet der Mann der Frau das Du an und nicht umgekehrt.
i) Wenn man sich duzt, benutzt man den Nachnamen des anderen, aber ohne „Herr" oder „Frau" davor zu sagen.
j) Wenn Schüler 16 Jahre alt sind, dürfen sie ihre Lehrer duzen.

Nach Übung

6

im Kursbuch

9. Gut befreundet ①, bekannt ② oder fremd ③? Was meinen Sie?

a) ○ Entschuldigen Sie bitte, daß ich Sie anspreche. Könnten Sie mir vielleicht sagen, wie spät es ist?
b) ○ Was soll ich nur machen, damit du nicht mehr böse mit mir bist?
c) ○ Schön, daß ich Sie treffe. Wie geht es Ihnen denn so?
d) ○ Es freut mich sehr, Ihre Bekanntschaft zu machen.
e) ○ Verzeihung, mein Herr. Können Sie mir vielleicht sagen, wo hier der nächste Taxistand ist?
f) ○ Du siehst so traurig aus. Komm schon, erzähle mir mal, was los ist.
g) ○ Ich habe eine Bitte, Frau Bauer. Könnten Sie wohl so freundlich sein und meine Blumen gießen, während ich im Urlaub bin?
h) ○ Auf Wiedersehen, Herr Schmidt. Und bitte grüßen Sie auch Ihre Frau und Ihre Tochter von mir.
i) ○ Darf ich mich vorstellen? Mein Name ist Eva Strauß.
j) ○ Ich habe keine Lust, heute abend auszugehen. Komm doch lieber zu mir.

Lektion 6

10. Sagen Sie es freundlicher. Schreiben Sie jeweils zwei Sätze, die freundlicher sind als die Vorgabe.

Es gibt verschiedene Lösungsmöglichkeiten. Im Schlüssel finden Sie Beispiele.

a) Hilf mir, den Koffer zu tragen!

Bitte ...

Würdest du ...

b) Machen Sie mir einen Kaffee!
c) Gib mir Feuer!
d) Komm her!
e) Machen Sie den Fernseher aus!
f) Ruf mich morgen an!

11. Wiederholung: Monatsnamen.

1 J a n u a r
2 F _ _ _ _ _ _
3 M _ _ _
4 A _ _ _ _
5 M _ _
6 J _ _ _

7 J _ _ _
8 A _ _ _ _ _
9 S _ _ _ _ _ _ _ _
10 O _ _ _ _ _ _
11 N _ _ _ _ _ _
12 D _ _ _ _ _ _

Notieren Sie auch die Namen der vier Jahreszeiten:

I _____
II _____
III _____
IV _____

12. Bringen Sie die Teile des Briefes in die richtige Reihenfolge.

A Mit herzlichen Grüßen

B Grüße bitte auch die Kinder von mir.

C vielen Dank für Deinen lieben Brief. Ich habe mich sehr darüber gefreut.

D So, das war's für dieses Mal.

E Ich hoffe, daß es Dir gut geht, und freue mich schon auf Deinen nächsten Brief.

F Liebe Maria,

G Deine Petra

H Sei mir bitte nicht böse, weil ich so lange nicht geantwortet habe. Aber Du weißt ja schon, wie faul ich beim Briefeschreiben bin.

I Jetzt will ich Dir aber erzählen, wie es mir geht und was ich so mache. Ich . . . .

1	2	3	4	5	6	7	8	9

Nach Übung **7** _im Kursbuch_

Nach Übung **8** _im Kursbuch_

Nach Übung **9** _im Kursbuch_

Lektion 6

13. Was paßt?

→ Themen neu 2, Arbeitsbuch: Übungen 5-6 auf Seite 72

es war sehr heiß   es dauert nur ein paar Minuten   es ist schön   es gibt
es wurde den ganzen Abend getanzt   es war das erste Mal   ich habe es eilig
es geht ihm ganz gut   es wird Zeit   es klappt   es ist so laut   es stimmt nicht

a) _____ , daß ich mit dem Flugzeug nach Paris geflogen
bin. Sonst bin ich immer mit dem Auto gefahren.

b) _____ , mittags oft über 30 Grad.

c) Wir müssen jetzt gehen, _____ . Sonst kommen wir zu
spät.

d) Bitte warten Sie einen Moment! _____ , dann komme
ich.

e) Was möchtest du trinken? _____ Kaffee, Tee, Saft
oder Mineralwasser.

f) Sie hat gelogen. _____ , daß sie gestern zu Hause war.

g) Norbert ist zwar noch immer im Krankenhaus, aber

_____ .

h) Die Feier war sehr schön. _____ .

i) _____ , daß du uns besuchen willst. Wir freuen uns
darauf.

j) Entschuldige bitte, ich habe jetzt keine Zeit. _____ .

k) Du mußt dir keine Sorgen machen, _____ ganz
bestimmt.

l) Was hast du gesagt? Ich verstehe dich nicht, _____
hier.

**14. Wo muß das Pronomen „es" stehen, wo nicht? Ergänzen Sie oder machen Sie einen
Strich („–").**

a) _____ war das letzte Mal, daß wir mit dem Auto in den Urlaub gefahren sind.

b) Wir haben _____ die ganze Nacht geschlafen.

c) _____ wurde die ganze Nacht gefeiert.

d) Daß wir mit dem Auto gefahren sind, _____ war falsch.

e) _____ ist normal, daß _____ in dieser Jahreszeit fast jeden Tag regnet.

f) Hier zu parken _____ ist verboten.

g) Ich bin _____ leid, für euch der Taxifahrer zu sein. Warum könnt ihr nicht mit dem Bus
fahren?

h) _____ wäre bequemer, wenn wir mit der Bahn fahren würden.

i) Wie lange dauert _____ die Fahrt?

j) Wie lange dauert _____ ?

k) Daß das Wetter im Urlaub so schlecht war, _____ ärgert mich.

15. Was hat Ute geschrieben?

a) „Unser altes Auto hat es doch geschafft."
   Ute hat geschrieben, …

   … daß ihr altes Auto es doch geschafft habe.

Beachten Sie:
– Konjunktiv I bei den normalen Verben nur in der 3. Person Singular;
– bei den Modalverben nur in der 1. und 3. Person Singular.
– Für die anderen Personen „würde" + Infinitiv oder den Konjunktiv II verwenden.
– Bei der indirekten Rede die Personalpronomen und Possesivartikel ändern.

b) „Unser altes Auto klappert an allen Ecken und Enden, aber es fährt doch."
c) „Wir fahren das letzte Mal mit dem Auto in den Urlaub."
d) „Wir wollen das nächste Mal mit der Bahn fahren."
e) „Es hat auf der Autobahn viele Staus gegeben."
f) „Das nächste Mal fahren wir mit dem Zug."
g) „Die Autofahrt ist wirklich schlimm gewesen."
h) „Wir haben stundenlang auf der Autobahn gestanden."
i) „Wir sind seit zwei Wochen in Ampuriabrava."
j) „Wir können schon baden, obwohl es noch Frühling ist."
k) „Ich und Hans gehen jeden Tag zum Baden."
l) „Es blüht überall, und es duftet nach Blumen."
m) „Mir gefällt der Urlaub sehr gut."
n) „Uns geht es sehr gut."
o) „Ich bin sehr glücklich, und Hans auch, aber er sagt es nicht."
p) „Wir sind heute abend bei unseren Nachbarn eingeladen."
q) „Ich komme nächste Woche zurück."
r) „Wir müssen nächste Woche leider schon zurückfahren."

16. Welches Nomen paßt?

Absender   Reservierung   Jahreszeit   Nachricht   Schreiben   Halbpension   Neuigkeit   Gruß   Prospekt

a) Habt ihr im Hotel auch gegessen? – Nur morgens und abends; das war im Preis
   inbegriffen, wir hatten _____ gebucht.
b) Im Sommer fahre ich nicht nach Spanien. In dieser _____ ist es mir dort zu
   heiß.
c) Gisela ist jetzt schon seit vier Wochen im Urlaub. Hast du irgendetwas von ihr gehört? –
   Nein, ich habe keine _____ von ihr.
d) Schau mal, da ist ein Brief für dich. Wer hat denn geschrieben? – Das weiß ich nicht. Da
   steht kein _____ darauf.
e) Gestern habe ich Hanna getroffen. Ich soll dir einen schönen _____ von ihr
   sagen.

Lektion 6

f) (Im Reisebüro) Ja, Australien ist ein wunderbares Reiseland. Ich gebe Ihnen hier den neuesten _____ . Den können Sie sich zu Hause erst mal ganz in Ruhe anschauen.

g) Die Züge sind über die Feiertage sehr voll. Ohne _____ besteht die Gefahr, daß man keinen Sitzplatz bekommt.

h) Ist Post für mich gekommen? – Ja, da ist ein _____ von deiner Versicherung.

i) Ich muß dir eine tolle _____ erzählen. Ich habe im Preisausschreiben eine Reise nach Paris gewonnen!

Nach Übung

10

im Kursbuch

17. Neuer Wortschatz.

schlimm   furchtbar   scheußlich   entsetzlich   unerträglich   ekelhaft   schrecklich

Diese Wörter haben alle eine ähnliche Bedeutung. Deshalb ein paar Regeln zum Gebrauch:

1. ekelhaft	schlecht gewordenes Essen; schlechter Geruch; Dinge, die man ohne Handschuhe nicht anfassen möchte
2. schlimm scheußlich	eine Situation; Schmerzen; ein Unfall
3. unerträglich	alles, was „auf die Nerven geht": andauernder Lärm, lange dauernde Schmerzen, sehr unsympathische Personen
4. schrecklich furchtbar entsetzlich	können fast immer benützt werden

Ergänzen Sie die Sätze mit passenden Adjektiven.

a) Wie geht's? Sind die Schmerzen noch _____ ?

b) Was ist denn mit der Suppe passiert? Die schmeckt ja _____ !

c) Heute nacht hatte ich einen _____ Traum.

d) Tut mir leid, aber wenn du Bernhard einlädst, dann komme ich nicht zu deiner Party. Den finde ich nämlich wirklich _____ .

e) Ruhe! Wer macht denn diesen _____ Lärm?

f) Du wirst es nicht glauben, aber als Kind war ich _____ dünn. Unsere Nachbarn dachten bestimmt, ich bekäme zu Hause nichts zu essen.

g) Mach das Fenster auf, schnell! Hier riecht es ja _____ !

h) … Und so stand ich also da, ohne Kleider, ohne Paß, ohne Geld. Du kannst mir glauben, das war eine _____ Situation.

i) Marianne soll einen ganz _____ Unfall gehabt haben. Jedenfalls liegt sie seit Samstag im Krankenhaus.

Lektion 6

Nach Übung

12

im Kursbuch

18. Schreiben Sie drei Urlaubspostkarten.

a) Schreiben Sie eine Karte aus dem Sommerurlaub an Ihre Eltern. Sie sind in einem Hotel am Meer.

b) Schreiben Sie eine Karte aus dem Winterurlaub an Ihre beste Freundin bzw. Ihren besten Freund. Sie haben eine Ferienwohnung gemietet und fahren Ski.

c) Sie sind für eine Woche nach Rom gefahren und besuchen dort Museen und historische Sehenswürdigkeiten. Schreiben Sie Ihren Nachbarn eine Karte.

Wortschatzhilfen:

Wetter:	Hotel/Wohnung:	Urlaubsort:	Befinden:	Aktivitäten:
es regnet	gemütlich	Landschaft	es geht mir …	schwimmen
es schneit	zentral	schön	ich fühle mich …	spazierengehen
es ist sonnig	günstig	herrlich	ich finde alles …	baden
es ist warm	ausgezeichnet	wunderbar	ich bin …	tauchen
es ist heiß	Dusche	toll	gut	segeln
es ist sehr kalt	Bad	interessant	prima	tanzen
es ist neblig	guter Service	phantastisch	super	skifahren
es ist kühl	ruhig	einmalig	toll	essen
es ist naßkalt	angenehm	unvergeßlich	ausgezeichnet	trinken
30 Grad	billig	beeindruckend	glücklich	Kino
Eis Schnee	nett		zufrieden	Theater
Sonne Wind				Museum
Nebel Kälte				Disco
				schlafen

(Im Lösungsschlüssel finden Sie nur Beispiele. Ihre Texte sollten Sie deshalb von Ihrer Lehrerin oder Ihrem Lehrer korrigieren lassen.)

Nach Übung

14

im Kursbuch

19. Ergänzen Sie die Verben im Präteritum.

→ Themen neu 2, Arbeitsbuch: Übungen 16, 19 und 20 auf den Seiten 62–63 und 65

Ein Vater (fahren) _fuhr_____(a) mit seinem Sohn zum Fußballspiel. Mitten auf einem Bahnübergang (bleiben) _____(b) ihr Wagen stehen. In der Ferne (hören) _____(c) man schon den Zug pfeifen. Der Vater (versuchen) _____(d), den Motor wieder anzulassen, aber er (schaffen) _____(e) es nicht. So (werden) _____(f) das Auto vom Zug erfaßt. Ein Krankenwagen (jagen) _____(g) zur Unfallstelle und (abholen) _____(h) die beiden _____ . Auf dem Weg ins Krankenhaus (sterben) _____(i) der Vater. Der Sohn (leben) _____(j), aber sein Zustand (sein) _____(k) sehr ernst; er (müssen) _____(l) sofort operiert werden. Sobald er im Krankenhaus (ankommen) _____(m), (werden) _____(n) er in den Operationssaal gefahren, wo schon die Chirurgen (warten) _____(o). Als sie sich jedoch über den Jungen (beugen) _____(p), (sagen) _____(q) jemand erschrocken: „Ich kann nicht mitoperieren – das ist mein Sohn."

Lektion 6

Nach Übung

15

im Kursbuch

20. Und wer spricht von den Frauen?

A Die Schüler freuen sich auf die Ferien.
Mit diesem Satz kann man über eine Schule sprechen, in der nicht nur Schüler, sondern auch Schülerinnen sind. Oft wird im Plural nur die maskuline Form verwendet, auch wenn in einer Gruppe mehr Frauen oder Mädchen sind als Männer oder Jungen.

B Die Schülerinnen und Schüler freuen sich auf die Ferien.
Es wird allerdings immer üblicher, beide Pluralformen zu benutzen. (Viele Politikerinnen und Politiker achten zum Beispiel darauf – schließlich haben die Frauen bei den Wahlen mehr als die Hälfte der Stimmen.)

C Die SchülerInnen freuen sich auf die Ferien.
Diese Zusammenschreibung beider Formen mit einem großen „i" in der Mitte sieht man auch immer öfter. Allerdings weiß niemand so recht, wie ein solches Wort auszusprechen ist, deshalb ist es den Leserinnen und Lesern gegenüber freundlicher, wenn man die Form wie in Beispiel B wählt.

Verwandeln Sie die folgenden Sätze wie in Beispiel B.

a) Die Ministerpräsidentin ist bei den Wählern sehr beliebt.

_____

b) Unsere Universität hat etwa 3500 Studenten.

_____

c) Die Ausstellung hatte in dieser Woche viele Besucher.

_____

d) Die Bürger von Hochheim trafen sich auf dem Marktplatz.

_____

Nach Übung

17

im Kursbuch

21. Welcher Satz hat die gleiche Bedeutung?

a) Wie schaust du denn aus der Wäsche?
Ⓐ Bist du gerade dabei, Wäsche zu waschen?
Ⓑ Was ist los mit dir? Geht es dir nicht gut?

b) Mir fällt die Decke auf den Kopf.
Ⓐ Ich habe Kopfschmerzen.
Ⓑ Ich fühle mich einsam und habe zu nichts Lust.

c) Ich habe die Nase voll!
Ⓐ Schluß jetzt, ich habe genug davon!
Ⓑ Ich habe Schnupfen.

d) Mir geht ein Licht auf.
Ⓐ Aha, jetzt verstehe ich.
Ⓑ Ich mache eine Lampe an.

e) Er will immer mit dem Kopf durch die Wand.
Ⓐ Er ist immer gleich beleidigt.
Ⓑ Er will niemals Kompromisse machen.

f) Das ist Schnee von gestern.
Ⓐ Das finde ich sehr ärgerlich.
Ⓑ Das ist vorbei, das interessiert mich nicht mehr.

22. Ergänzen Sie.

Nach Übung

17

im Kursbuch

| an | ~~nach~~ | zu | mit | an | nach | für | mit | über | um | für | über |

a) _nach_ …

…	ei_____ Prospekt	fragen
	d_____ Preis	
	d_____ Zeitung	
	ei_____ Buch	

b) _____ …

…	ei_____ Freund	sprechen
	ei_____ Kollegin	
	d_____ Arzt	
	d_____ Polizisten	

c) _____ Abendessen | einladen

_____ …

…	mei_____ Hochzeit
	ei_____ Party
	ei_____ Feier

d) _sich_ …

…	d_____ Klima	gewöhnen
	d_____ Essen	
	mei_____ Chef	
	d_____ Arbeit	

e) _____ …

…	ei_____ Bier	bitten
	ei_____ Gespräch	
	ei_____ Termin	
	ei_____ Information	

f) _sich_ …

…	d_____ Geschenk	bedanken
	sei_____ Hilfe	
	d_____ Einladung	
	d_____ Brief	

g) _____ …

…	ihr_____ Auto	fahren
	d_____ Bahn	
	mei_____ Fahrrad	
	d_____ Bus	

h) _____ …

…	Bier	riechen
	Benzin	
	Kohlsuppe	
	Parfüm	

i) _____ …

…	d_____ Termin	denken
	d_____ Zukunft	
	un_____ Plan	
	Thomas	

j) _sich_ …

…	d_____ Essen	beschweren
	d_____ Polizei	
	d_____ Richter	
	d_____ Zimmer	

k) _sich_ …

…	d_____ Einladung	freuen
	sei_____ Brief	
	d_____ Geschenk	
	d_____ Erfolg	

l) _sich_ …

…	d_____ Duzen	entschuldigen
	d_____ Beleidigung	
	d_____ Fehler	

Lektion 7

Kernwortschatz

Verben

ablegen 85
abmachen 83
abstellen 89
abtrocknen 84
achten 85
anzünden 80
baden 87
begegnen 88
begründen 89
berühren 89
binden 84

braten 84
brennen 80
erhalten 85
erkennen 82
essen 86
feiern 80
fliegen 83
folgen 81
fotografieren 89
gelten 86
gießen 84

hängen 80
heiraten 82
hoffen 88
klappen 87
kochen 44
läuten 87
mitbringen 86
schenken 85
schlagen 87
schmecken 84
setzen 84

singen 80
sorgen 86
stimmen 87
unterbrechen 88
verlieren 87
vorbeikommen 87
wechseln 88
wünschen 81

Nomen

s Alter 86
r Augenblick, -e 87
r Bart, ¨e 80
e Blume, -n 82
e Chance, -n 87
s Ei, -er 81
e Einfahrt, -en 89
e Erlaubnis 85
e Fabrik, -en 80
e Familie, -n 80
s Fest, -e 83
e Freundschaft, -en 85
e Geburt, -en 80
s Gefühl, -e 86
r Gegenstand, ¨e 81

s Geschlecht, -er 87
e Gesellschaft, -en 88
r Glückwunsch, ¨e 82
e Haut 84
r Himmel 80
s Hobby, -s 88
s Jahrhundert, -e 80
r Kalender, - 80
r König, -e 49
e Landschaft, -en 87
s Neujahr 81
s Öl, -e 84
r Onkel, - 82
e Ordnung 87

s Ostern 81
r Pfeffer 84
s Plakat, -e 89
e Platte, -n 84
r Rasen 89
r Rat, Ratschläge 88
s Rezept, -e 84
r Rücken, - 84
e Ruhe 88
r Schmuck 80
r Schnaps, ¨e 87
e Schüssel, -n 84
e Soße, -n 84
r Stern, -e 81
s Stück, -e 85
e Tat, -en 80

r Teil, -e 81
r Tisch, -e 87
r Tod 82
e Verabredung, -en 83
s Verbot, -e 89
s Vergnügen, - 86
e / r Verwandte, -n 80
e Weihnacht 80
e Welt 80
r Winter 81
s Wochenende, -n 83
r Wunsch, ¨e 83
e Zeitschrift, -en 87

Adjektive

aufmerksam 89
bunt 81
fein 80
freundlich 86
gemeinsam 81
gewöhnlich 85
hart 88

hell 81
ideal 88
irgendwann 87
katholisch 81
laut 81
letzt- 80
lustig 81

modern 84
persönlich 80
schrecklich 87
solange 86
still 82
üblich 86
verschieden 88

weiblich 88
weit 89
wichtig 80
willkommen 86

Adverbien

allmählich 86	inzwischen 80	vorher 80	
außen 84	selber 87	weiter- 83	
damals 80	teilweise 81	wenigstens 80	
genug 88	vielleicht 80	wirklich 85	
innen 84	vor allem 80		

Funktionswörter

ehe 81
statt 80
vor allem 80
wenige 88

Ausdrücke

Gesundheit! 83	Guten Flug! 83	Herzlichen Glück-	Schlaf gut! 83
Gut, abgemacht! 83	Hals- und Bein-	wunsch! 83	Viel Erfolg! 83
Gute Besserung! 83	bruch! 83	Herzliches Beileid!	Viel Glück! 83
Guten Appetit! 83		83	Viel Spaß! 83

Kernwortschatz

Verben mit zwei Verbzusätzen (§ 32)

Trennbarer vor untrennbarem Verbzusatz:

aufbewahren   Butterkekse bewahrt man in Blechdosen auf.
              Es ist sinnvoll, Butterkekse in Blechdosen aufzubewahren.
              Butterkekse werden in Blechdosen aufbewahrt.

vorbereiten   Spontane Einladungen bereitet man nicht vor.
              Es ist nicht möglich, spontane Einladungen vorzubereiten.
              Spontane Einladungen sind eben nicht vorbereitet.

Trennbarer nach untrennbarem Verbzusatz:

verabschieden   Ich verabschiede mich immer vor Mitternacht.
              Es ist höflicher, sich vor Mitternacht zu verabschieden.
              Ich habe mich bisher immer vor Mitternacht verabschiedet.

veranstalten   An meinem Geburtstag veranstalte ich ein kleines Fest.
              Es macht Spaß, ein Fest zu veranstalten.
              Zu meinem letzten Geburtstag habe ich ein Fest veranstaltet.

Partizip II und Partizip I als Attribut (§ 33)

Den Backofen vorheizen	Die Gans in den vorgeheizten Backofen schieben.
Den Fleischbrühwürfel zerdrücken	Den zerdrückten Würfel in den Bratensaft geben.
Die Platte vorwärmen	Die Gans auf die vorgewärmte Platte legen.
Wasser kochen lassen	Den Bratensaft mit dem kochenden Wasser auffüllen.

Generalisierendes Pronomen „wer" (§ 10)

Wer einlädt, kann seinen eigenen Stil verwirklichen.
Wer gern Gäste hat, sollte immer etwas zum Anbieten im Haus haben.
Wer Einladungen immer wieder verschiebt, ist irgendwann allein.

Lektion 7

Nach Übung

3

im Kursbuch

1. Welche Sätze passen zu welchem Fest?

a) Jeden Sonntag wird eine Kerze mehr angezündet, bis am vierten Sonntag vier Kerzen brennen.
b) Nach Mitternacht machen die Leute auf der Straße ein Feuerwerk.
c) Dieses Fest wird am 6. Januar gefeiert.
d) Dieses Fest der Masken und des Lärms gab es schon in vorchristlicher Zeit.
e) Es ist eine fröhliche Feier, bei der Wein und Sekt getrunken wird.
f) Die kleinen Kinder stellen am Abend ihre Schuhe vor die Tür.
g) Im Wohnzimmer steht ein geschmückter Baum, unter dem die Geschenke liegen.
h) Für dieses Fest werden Eier gekocht und mit Farben angemalt.
i) Wenn die verkleideten Kinder vor den Häusern singen, bekommen sie Geld oder Süßigkeiten.
j) Es gibt einen besonderen Kinderkalender für die letzten 24 Tage vor Weihnachten.
k) Für die Kinder werden Süßigkeiten im Garten versteckt.
l) Viele Familien besuchen den Gottesdienst, der an diesem Tag besonders festlich ist.
m) Die Kinder glauben, daß er ihnen in der Nacht kleine Geschenke bringt.
n) Früher hatte das Fest den Sinn, den Winter zu vertreiben.

Advent: _a),_____   Hl. Drei Könige _____
Nikolaustag: _____   Fasching: _____
Weihnachten: _____   Ostern: _____
Silvester: _____

Nach Übung

3

im Kursbuch

2. Was paßt zusammen?

a) Ganz besonders wichtig sind die Ostereier,
b) Wenn das Wetter nicht zu schlecht ist,
c) Die Kinder wissen natürlich nicht,
d) An Ostern gehen die Kinder in den Garten,
e) Die Eier werden gekocht,
f) Weil die Ostereier gekocht sind,

1 daß die Süßigkeiten von den Eltern versteckt werden.
2 werden die Ostereier im Garten versteckt.
3 bevor sie bemalt werden.
4 kann man sie lange aufbewahren.
5 die von den Kindern bunt angemalt werden.
6 um die Ostereier zu suchen.

Nach Übung

4

im Kursbuch

3. Ergänzen Sie.

| vor | an | in | von ... bis zu ... | um | zwischen |

a) _____ Abend _____ dem Nikolaustag stellen die Kinder ihre Schuhe auf eine Fensterbank oder vor die Tür.
b) Die Kinder glauben, daß _____ der Nacht der Nikolaus kommt und ihnen Geschenke _____ die Schuhe legt.
c) Die Adventszeit dauert _____ vierten Sonntag vor Weihnachten _____ Heiligen Abend.

d) In Deutschland, in der Schweiz und in Österreich wird Weihnachten schon _____ Abend _____ dem 25. Dezember gefeiert. Dieser Abend heißt „Heiliger Abend".

e) Die Zeit _____ dem vierten Sonntag vor Weihnachten und dem Heiligen Abend nennt man in Deutschland Adventszeit.

f) Für die Zeit _____ 1. Dezember _____ Heiligen Abend gibt es einen besonderen Kalender. Man nennt ihn Adventskalender.

g) _____ der Nacht _____ dem 31. Dezember und dem 1. Januar feiert man das neue Jahr. Genau _____ Mitternacht, wenn das neue Jahr beginnt, trinken alle Leute Sekt oder Wein, prosten sich zu und wünschen sich „ein gutes Neues Jahr".

4. Sagen Sie es anders.

→ Themen neu 2, Arbeitsbuch: Übungen 13–17 auf Seite 47–49

Nach Übung

4

im Kursbuch

a) Am ersten Sonntag zündet man die erste Kerze an.

   Am ersten Sonntag wird die erste Kerze angezündet.

b) Am Heiligen Abend schmückt man den Tannenbaum.

c) In Deutschland feiert man das neue Jahr laut und lustig.

d) Am Silvesterabend lädt man Gäste zu einer Feier ein.

e) Um Mitternacht veranstaltet man auf der Straße ein privates Feuerwerk.

f) In Basel, Mainz, Köln und Düsseldorf feiert man den Fasching besonders schön und intensiv.

g) Zu Ostern bemalt man gekochte Eier.

h) Für die Kinder versteckt man im Garten Süßigkeiten und kleine Geschenke.

5. Schreiben Sie. Welches Fest war für Sie in Ihrer Kindheit am wichtigsten?

Nach Übung

4

im Kursbuch

Schreiben Sie einen kurzen Bericht für jemanden, der Ihr Land nicht kennt. Geben Sie, wenn möglich, die folgenden Informationen:

- Wie heißt dieses Fest?
- Aus welchem Grund wird es gefeiert? Ist es ein religiöses Fest?
- Wann wird das Fest gefeiert? Ist es immer der gleiche Tag im Jahr?
- Wie lange dauert das Fest?
- Mit wem wird das Fest gefeiert? Mit der Familie? Mit Freunden und Bekannten? Mit dem ganzen Dorf oder der ganzen Stadt?

- Wo wird das Fest gefeiert? Zu Hause? In einem Restaurant? Auf der Straße? In einer Kirche, Moschee, Synagoge?
- Was wird bei diesem Fest gegessen und getrunken?
- Gibt es Geschenke? Welche Geschenke und für wen?
- Was hat Ihnen bei diesem Fest immer besonders gut gefallen?

Für diese Übung gibt es keine Lösung im Schlüssel. Lassen Sie Ihren Text bitte von Ihrer Lehrerin oder Ihrem Lehrer korrigieren.

Lektion 7

Nach Übung

4

im Kursbuch

6. Ergänzen Sie die Sätze mit den passenden Nomen.

Himmel   König   Stern   Schmuck   Tat   Fest   Fabrik   Geburt   Neujahr   Ostern   Kalender

a) Meine jüngste Tochter ist zu früh zur Welt gekommen. Bei der _____ wog sie nur vier Pfund.

b) Es gibt nur wenige Länder auf der Welt, die von einem _____ regiert werden.

c) Schon viele Wochen vor _____ werden in den Geschäften Eier und Hasen aus Schokolade verkauft.

d) In unserer Gegend sind viele Menschen arbeitslos, weil die einzige _____ geschlossen wurde.

e) Weihnachten ist ein _____, das in der Familie gefeiert wird. In Deutschland ist es nicht üblich, Freunde oder Bekannte dazu einzuladen.

f) Jedes Kind weiß, daß das Christkind und der Weihnachtsmann im _____ wohnen. Woher der Osterhase kommt, ist leider unbekannt.

g) Das Datum des Nikolaustages muß man nicht im _____ suchen. Es ist immer der 6. Dezember.

h) Meine Freundin trägt gerne _____. Ich werde ihr deshalb ein Paar Ohrringe zum Geburtstag schenken.

i) Die Nacht war völlig dunkel; nicht einmal ein _____ war zu sehen.

j) Meine Kollegin hat im Büro Geld gestohlen. Wegen dieser _____ ist sie entlassen worden.

k) Der erste Tag im Januar wird _____ genannt.

Nach Übung

10

im Kursbuch

7. Was können Sie in den folgenden Situationen sagen? Eine Lösung paßt nicht.

a) Ihr Kollege muß plötzlich niesen. Was sagen Sie, um nicht unhöflich zu sein?
A Gesundheit!
B Hoffentlich bekommen Sie keine Erkältung!
C Hals- und Beinbruch!

b) Die Mutter Ihres Chefs ist gestorben. Was sagen Sie zu ihm, wenn Sie ihn treffen?
A Gute Besserung!
B Herzliches Beileid!
C Es tut mir sehr leid, daß Ihre Mutter gestorben ist.

c) Sie haben Ihre Freunde eingeladen. Was sagen Sie, bevor alle anfangen zu essen?
A Guten Appetit!
B Laßt es euch schmecken!
C Viel Spaß!

d) Sie besuchen einen Bekannten im Krankenhaus. Was sagen Sie, bevor Sie wieder gehen?
A Herzlichen Glückwunsch!
B Gute Besserung!
C Werden Sie schnell wieder gesund!

e) Sie bringen eine Kollegin zum Flugplatz. Was sagen Sie zum Abschied?
A Gute Fahrt!
B Guten Flug!
C Ich wünsche Ihnen eine gute Reise!

f) Ihre Schwester will ins Bett gehen und sagt Ihnen „Gute Nacht". Was antworten Sie?
A Schlaf gut!
B Träume etwas Schönes!
C Auf Wiedersehen.

8. Ergänzen Sie.

→ Themen neu 1, Arbeitsbuch: Übungen 5, 9 und 10 auf Seite 104 und 108

Nach Übung

10

im Kursbuch

a) Lieber Konrad, ich wünsche _____ viel Erfolg!

b) Bitte sagen Sie Frau Henken, daß ich _____ viel Erfolg wünsche.

c) Meine Freundin hat _____ viel Erfolg für meine Prüfung gewünscht.

d) Meine Frau und ich wollen uns beruflich selbständig machen. Alle Freunde wünschen _____ viel Erfolg.

e) Lieber Otmar, liebe Christine, ich wünsche _____ viel Erfolg!

f) Sehr geehrter Herr Benz, ich wünsche _____ viel Erfolg!

g) Bitte sag Herrn Ratke, daß ich _____ viel Erfolg wünsche.

h) Bitte sag Doris und Britta, daß ich _____ viel Erfolg wünsche.

9. Wiederholung: Wortschatz. Dinge in der Küche.

Nach Übung

11

im Kursbuch

> Kühlschrank   Backofen   Spüle   Spülmaschine   Küchenwaage
> Herd   Bratpfanne
> Kochbuch
> Mikrowelle   Abfalleimer   Geschirrtuch   Küchenuhr

a) Kilo, Gramm, wiegen: _____

b) Rezepte, lesen, Bilder, Fotos, Information: _____

c) elektrisches Gerät, Wasser, Geschirr, sauber: _____

d) Waschbecken, Metall, schmutziges Geschirr: _____

e) technisches Gerät, heiß, Kuchen, Braten, Brot, backen: _____

f) elektrisches Gerät, Nahrungsmittel, frisch, niedrige Temperatur: _____

g) technisches Gerät, modern, schnell, kochen ohne Hitze: _____

h) Stoff, nasse Teller, abtrocknen: _____

i) Zeit, Minute, Stunde: _____

j) technisches Gerät, 3 oder 4 Kochstellen: _____

k) leere Dosen, für Müll, Verpackungen, Essensreste, wegwerfen: _____

l) kein Topf (aber ähnlich), flach, z.B. für Steaks und Schnitzel: _____

10. Ergänzen Sie.

→ Themen neu 1, Arbeitsbuch: Übungen 10–13 auf Seite 83–84 und Übungen 11–15 auf Seite 95–98

Nach Übung

11

im Kursbuch

a) Die Gans muß zweieinhalb Stunden _____ Ofen braten.

b) Bitte schieb die Gans um zehn Uhr _____ _____ Ofen.

c) Die Zwiebeln müssen _____ Bratensaft kochen.

d) Die Zwiebelscheiben muß man nach einer Stunde _____ _____ Bratensaft geben.

e) Die Äpfel soll man _____ _____ Gans _____ _____ Bratenrost legen.

f) Die Äpfel liegen _____ _____ Gans _____ _____ Bratenrost.

g) Bitte stell den Adventskranz _____ _____ Tisch.

h) Der Adventskranz steht _____ _____ Tisch.

i) Die Weihnachtsgeschenke werden _____ _____ Tannenbaum gelegt.

j) Die Weihnachtsgeschenke liegen _____ _____ Tannenbaum.

k) Bei uns zu Hause hängt im Flur ein großer Adventskranz _____ _____ Decke.

l) Bei uns zu Hause hängen wir im Flur einen großen Adventskranz _____ _____ Decke.

m) Man soll den Bratensaft _____ _____ Gans gießen.

n) Am Nikolaustag stellen die Kinder ihre Schuhe _____ _____ Tür oder _____ _____ Fensterbank.

Nach Übung

12

im Kursbuch

11. Ergänzen Sie.

a) Die Äpfel waschen und abtrocken, dann die *gewaschenen* und *abgetrockneten* Äpfel neben die Gans auf den Bratenrost legen.

b) Die Gans salzen und mit Äpfeln füllen, dann die _____ und mit Äpfeln _____ Gans zubinden und im Ofen braten.

c) Die Zwiebeln in Scheiben schneiden und den Fleischbrühwürfel zerdrücken, dann die in Scheiben _____ Zwiebeln und den _____ Fleischbrühwürfel in den Bratensaft geben.

d) Zu Ostern werden im Garten Süßigkeiten und Eier versteckt. Die Kinder müssen die _____ Süßigkeiten und Eier dann suchen.

e) Am Nachmittag des Heiligen Abends schmücken die Erwachsenen den Weihnachtsbaum. Die Kinder dürfen den _____ Baum erst am Abend sehen.

f) Am Nikolaustag stellen die Kinder ihre Schuhe vor die Tür. Sie glauben, daß der Nikolaus in der Nacht die vor die Tür _____ Schuhe mit Geschenken füllt.

Nach Übung

14

im Kursbuch

12. Welcher Satz paßt nicht?

a) Möchten Sie noch etwas Gemüse?
Ⓐ Was kostet das Gemüse?
Ⓑ Darf ich Ihnen noch von dem Gemüse geben?
Ⓒ Nehmen Sie noch etwas Gemüse?

b) Das Essen ist ausgezeichnet!
Ⓐ Das Essen schmeckt hervorragend!
Ⓑ Es schmeckt alles ganz phantastisch!
Ⓒ Sie haben wirklich eine schöne Wohnung!

c) Legen Sie doch bitte ab.
Ⓐ Geben Sie mir bitte Ihren Mantel.
Ⓑ Hier können Sie Ihre Jacke aufhängen.
Ⓒ Hier können Sie sich hinlegen, wenn Sie müde sind.

d) Wie wär's mit einem Glas Wein?
Ⓐ Möchten Sie ein Glas Wein trinken?
Ⓑ Trinken Sie ein Glas Wein?
Ⓒ Wäre es nicht besser, den Wein aus einem Glas zu trinken?

e) Prost!
Ⓐ Gute Besserung!
Ⓑ Auf Ihr Wohl!
Ⓒ Zum Wohl!

f) Vielen Dank für Ihren Besuch.
Ⓐ Vielen Dank, daß Sie bei uns waren.
Ⓑ Wir müssen jetzt leider gehen.
Ⓒ Es war schön, daß Sie uns besucht haben.

13. Sagen Sie es anders.

→ Themen neu 2, Arbeitsbuch: Üb. 6 und 8 auf Seite 58 und Üb. 12–15 auf Seite 60–61

Nach Übung

16

im Kursbuch

a) In Deutschland bringt man den Gastgebern meistens ein kleines Geschenk mit.

In Deutschland ist es üblich, den Gastgebern ein kleines Geschenk mitzubringen.

... daß man den Gastgebern ein kleines Geschenk mitbringt.

b) In Deutschland gibt man eine Heirat durch eine Zeitungsanzeige bekannt.

c) In Deutschland meldet man auch bei Freunden einen Besuch vorher an.

d) In Deutschland trinkt man auch nach dem Essen noch Alkohol.

e) In Deutschland ist man auch bei Einladungen von Freunden pünktlich.

f) In Deutschland zeigt man neuen Gästen das Haus oder die Wohnung.

g) In Deutschland lädt man alle Gäste zu einer Hochzeit persönlich ein.

h) In Deutschland feiert man nur seinen Geburtstag und nicht seinen Namenstag.

i) In Deutschland ißt man abends nicht später als um zwanzig Uhr.

14. Jeweils drei Sätze haben die gleiche Bedeutung. Welcher Satz paßt nicht dazu?

Nach Übung

16

im Kursbuch

a) Ⓐ Es ist üblich, Blumen mitzubringen, wenn man eingeladen ist.
Ⓑ In der Regel bringt man zu einer Einladung Blumen mit.
Ⓒ Normalerweise bringt man Blumen mit, wenn man eingeladen ist.
Ⓓ Man muß zu einer Einladung auf jeden Fall Blumen mitbringen.

b) Ⓐ Man sollte ohne Erlaubnis keine anderen Personen mitbringen.
Ⓑ Es ist unhöflich, noch andere Leute mitzubringen, die nicht eingeladen sind.
Ⓒ Im allgemeinen freuen sich die Gastgeber, wenn man seine Freunde mitbringt.
Ⓓ Es ist nicht üblich, überraschend noch andere Personen mitzubringen.

c) Ⓐ Man sollte darauf achten, daß man nicht früher als verabredet kommt.
Ⓑ Normalerweise kommt man einige Stunden später als verabredet.
Ⓒ Es ist üblich, ein paar Minuten später als verabredet zu kommen.
Ⓓ Es gilt als höflich, einige Minuten zu spät zu kommen.

d) Ⓐ Wenn man am Nachmittag eingeladen ist, sollte man vor dem Abendessen gehen.
Ⓑ In der Regel gilt eine Einladung am Nachmittag nicht für das Abendessen.
Ⓒ Man sollte schon am Nachmittag sagen, daß man zum Abendessen bleiben möchte.
Ⓓ Normalerweise erwarten die Gastgeber bei einer Einladung am Nachmittag, daß man vor dem Abendessen geht.

e) Ⓐ Gewöhnlich bringt man den Kindern der Gastgeber ein kleines Geschenk mit.
Ⓑ Wenn die Gastgeber Kinder haben, sollte man ihnen auch eine Kleinigkeit mitbringen.
Ⓒ Es ist üblich, auch den Kindern der Gastgeber etwas mitzubringen.
Ⓓ Auf jeden Fall sollte man seine Kinder zu einer Einladung mitbringen.

f) Ⓐ Es ist nicht üblich, rote Rosen zu schenken.
Ⓑ In der Regel schenkt man keine roten Rosen.
Ⓒ Meistens gibt es keine roten Rosen zu kaufen.
Ⓓ Rote Rosen schenkt man gewöhnlich nicht.

Lektion 7

15. Was paßt zusammen?

a) Jeder kann die Leute einladen,
b) Es muß nichts Besonderes sein,
c) Natürlich gibt es auch Leute,
d) Wenn man noch schnell etwas erledigen muß,
e) Wer spontane Besuche liebt,
f) Bei einem spontanen Besuch ist es nicht nötig,
g) Man sollte den Fernseher abschalten,
h) Es ist schön zu wissen,

1 die man nicht ohne Verabredung in der Wohnung haben möchte.
2 kann man seinen Gast auch mal allein lassen.
3 wenn man Besuch bekommt.
4 die er einladen möchte.
5 daß man Blumen mitbringt.
6 daß man jemanden zu jeder Zeit besuchen kann.
7 was man seinen Gästen anbietet.
8 hat immer etwas zum Anbieten zu Hause.

16. Ergänzen Sie die Sätze mit den Verben.

vorbeikommen   klappen   läuten   baden   begegnen   sorgen   unterbrechen   stimmen   aufräumen

a) Ich bekomme heute abend Besuch; vorher muß ich meine Wohnung _____ .
b) Ein guter Gastgeber _____ dafür, daß immer etwas zum Essen und zum Trinken da ist.
c) Wenn man Besuch bekommt, sollte man seine Arbeit _____ .
d) Ich glaube, wir bekommen Besuch. Eben hat es an der Tür _____ .
e) Ich wohne in der Schillerstraße Nr. 12. Du kannst jederzeit bei mir _____ .
f) Heute _____ es leider nicht, aber morgen können wir uns treffen.
g) „Wo hast du deinen neuen Freund kennengelernt?" – „Ich bin ihm auf einem Fest _____ ."
h) Wenn ich morgens viel Zeit habe, dann _____ ich, anstatt zu duschen.
i) Unsere Gäste sind immer noch nicht da. Sie wollten schon vor einer Stunde kommen. Da _____ doch etwas nicht!

17. Regeln für eine Einladung. Sagen Sie es anders.

a) Wenn man zu spät kommt, dann sollte man sich entschuldigen und sagen, warum man nicht früher kommen konnte.
   Wer zu spät kommt, sollte sich entschuldigen und sagen, warum er nicht früher kommen konnte.
b) Wenn man Blumen mitbringt, kann man fast nichts falsch machen.
c) Wenn man einer Frau rote Rosen schenkt, dann zeigt man damit, daß man sie liebt.
d) Wenn man für den Nachmittag eingeladen ist, sollte man nicht bis zum Abendessen bleiben.
e) Wenn man absolut pünktlich kommt, kommt man vielleicht zu früh.
f) Wenn man unerwartet Kinder oder Freunde mitbringt, dann verärgert man vielleicht seine Gastgeber.
g) Wenn man nicht passend gekleidet ist, stört man eventuell die anderen Gäste.

h) Wenn man will, kann man statt Blumen auch eine Flasche Wein mitbringen.

i) Wenn man bis lange nach Mitternacht bleibt, dann wird man vielleicht das nächste Mal nicht mehr eingeladen.

j) Wenn man Blumen mit dem Papier schenkt, zeigt man damit, daß man die Regeln für Einladungen nicht beherrscht.

18. Ihre Grammatik. Verben mit zwei Verbzusätzen.

Nach Übung

17

im Kursbuch

Verben mit zwei Verbzusätzen haben immer einen trennbaren und einen untrennbaren Verbzusatz. Die Betonung liegt immer auf dem trennbaren Verbzusatz.

Ergänzen Sie und vergleichen Sie dabei:

Verben mit einem (trennbaren) Verbzusatz
Verben mit zwei Verbzusätzen.

Trennbarer Verbzusatz vorn

Infinitiv	„Er …"	„zu" + Infinitiv	Partizip II
aufmachen	macht … auf	aufzumachen	hat aufgemacht
aufbewahren	bewahrt … auf	aufzubewahren	hat aufbewahrt
sich vorstellen	stellt sich … vor	sich	hat sich
sich vorbereiten			hat

Untrennbarer Verbzusatz vorn

Infinitiv	„Er …"	„zu" + Infinitiv	Partizip II
ablegen	legt … ab	abzulegen	hat abgelegt
sich verabreden	verabredet sich	sich zu verabreden	hat sich verabredet
sich verabschieden			
anstoßen	stößt … an		
beantragen	beantragt		
zurückkehren	kehrt … zurück		
berücksichtigen			

19. Welche Verben sind trennbar, welche nicht?

Nach Übung

18

im Kursbuch

a) einladen: Wen _lädst_____ du zu deinem Geburtstag _ein_____ ?

b) bekommen: Die Kinder _bekommen_____ zu Ostern viele Geschenke ___–___ .

c) mitbringen: Den Gastgebern _____ man Blumen oder eine Flasche Wein _____ .

d) verstehen: Sprechen Sie etwas lauter, ich _____ Sie nicht _____ .

e) einpacken: Bitte _____ Sie das Geschenk in schönes Papier _____ .

f) erkennen: _____ du Georg auf diesem Foto _____ ?

g) begießen: _____ Sie den Braten regelmäßig mit dem Bratensaft _____ .

h) umdrehen: _____ Sie den Braten nach einer Stunde _____ .

i) hereinkommen: Bitte _____ Sie _____ !

j) verabreden: _____ bitte mit Sonja einen Termin _____ .

k) aufräumen: Wer _____ die Küche _____ ?

l) umziehen: _____ dich bitte _____ !

m) anhalten: _____ Sie bitte_____ ! Ich möchte aussteigen.

n) erzählen: Er _____ den Kindern eine Geschichte _____ .

o) berühren: Bitte _____ Sie diesen Schalter nicht _____ .

p) einfallen: Thomas _____ immer gute Ideen _____ .

q) unterbrechen: Er _____ mich immer _____ , wenn ich rede.

r) einschenken: Bitte _____ mir noch ein Glas Wein _____ .

Nach Übung

18

im Kursbuch

20. Ergänzen Sie.

| irgendwann | irgendwas | irgendwie | irgendwo | irgendwohin | irgendwer |

a) Ich kann meine Autoschlüssel nicht finden. _____ müssen sie doch sein!

b) Wir können deine Tante nicht ohne ein Geschenk besuchen. _____ müssen wir ihr schon mitbringen.

c) Ich bin wieder zurück. Hat _____ für mich angerufen?

d) Sie haben wohl Probleme mit ihrem Auto. Kann ich Ihnen _____ helfen?

e) Im Urlaub möchte ich _____ fahren, wo man keine Touristen trifft.

f) Die meisten Paare möchten _____ Kinder haben.

Nach Übung

18

im Kursbuch

21. Ergänzen Sie die Sätze mit den richtigen Formen von „jeder".

→ Themen neu 2, Arbeitsbuch: Übungen 24–25 auf Seite 15

a) Heute gilt gleiches Recht für alle, jeder kann _____ einladen.

b) Mögen Sie _____ Menschen als Gast bei sich haben?

c) Susanne ist nicht gern allein. Sie hat fast _____ Tag Besuch.

d) Holger kocht sehr gut. Bei ihm schmeckt _____ Essen.

e) Familie Paulig macht _____ Jahr im Sommer ein großes Gartenfest.

f) Man kann nicht _____ Gast dasselbe Getränk anbieten.

g) Es sind sehr viele Gäste gekommen. _____ Tisch und _____ Stuhl ist besetzt.

h) Meine Eltern sind _____ Woche bei mir zu Besuch.

i) _____ Gast bekommt vor dem Essen ein Glas Sekt.

j) _____ Frau wird von ihm mit einem Kuß begrüßt.

k) Er hilft _____ Frau, den Mantel auszuziehen.

Nach Übung

18

im Kursbuch

22. Welcher Satz hat die gleiche Bedeutung?

a) Er reißt das Gespräch immer an sich.

A Er spricht immer viel zu laut.

B Meistens redet er, und die anderen müssen zuhören.

C Er unterhält sich nicht gern mit anderen.

b) Er kann sich benehmen.

A Er ist ein höflicher und angenehmer Mensch.

B Er sieht gut aus.

C Er ist besonders intelligent.

c) Er läßt nur seine eigene Meinung gelten.
A Er glaubt, daß er alles am besten weiß.
B Er hat ganz vernünftige Ansichten.
C Meistens versteht man nicht, was er meint.

d) Er läßt sich nichts sagen.
A Er sagt nie etwas.
B Die Meinung von anderen Leuten interessiert ihn nicht.
C Er spricht nicht gern mit anderen Leuten.

e) Er fühlt sich in Gesellschaft nicht wohl.
A Er freut sich, wenn er neue Leute kennenlernen kann.
B Er ist ziemlich unfreundlich zu Menschen, die er nicht kennt.
C Er ist nicht gern mit anderen Menschen zusammen.

23. Was muß gemacht werden?

Nach Übung
19
im Kursbuch

a) die Gäste einladen: *Die Gäste müssen eingeladen werden.*

b) die Einladungskarten schreiben:_____

c) ein Menü auswählen: _____

d) Lebensmittel und Getränke kaufen: _____

e) das Essen kochen:_____

f) die Küche aufräumen: _____

g) das Geschirr abwaschen: _____

h) den Tisch decken: _____

i) die Getränke in den Kühlschrank stellen: _____

j) die Gäste begrüßen: _____

k) die Gäste fragen, was sie trinken wollen: _____

l) das Essen servieren: _____

24. Was kann man machen mit ...?

Nach Übung
19
im Kursbuch

parken essen übersetzen einladen kämmen kochen fahren schicken betreten
besuchen packen lesen abschleppen überqueren anmelden gießen pflücken
reparieren schneiden waschen backen kaufen begrüßen anrufen schreiben tragen

a) Blumen kann man _____ , _____ , _____ , _____ , _____

b) Haare kann man _____ , _____ , _____

c) Einen Rasen kann man _____ , _____ , _____

d) Brot kann man _____ , _____ , _____

e) Ein Auto kann man _____ , _____ , _____ , _____ , _____ ,
_____ , _____

f) Eine Suppe kann man _____ , _____ , _____

g) Einen Koffer kann man _____ , _____ , _____ , _____ , _____

h) Einen Freund kann man _____ , _____ , _____ , _____

i) Einen Brief kann man _____ , _____ , _____ , _____

Lektion 8

Kernwortschatz

Verben

abholen 94	duschen 92	öffnen 96	versuchen 98
aufstehen 92	einschalten 96	passieren 88	waschen 92
ausschalten 96	funktionieren 94	schließen 96	wecken 100
beeilen 93	klingeln 92	senden 96	zeichnen 95
behalten 95	kosten 94	spülen 100	ziehen 96
drücken 96	legen 96	vergrößern 98	

Nomen

e Apfelsine, -n 95	r Finger, - 97	e Linie, -n 95	r Speck 100
s Auge, -n 100	s Flugzeug, -e 99	e Luft 98	s Spielzeug 99
r Ausweis, -e 98	s Frühstück 100	s Mal, -e 100	e Steckdose, -n 96
r Ball, ⸚e 101	e Führung, -en 98	r Mantel, ⸚ 100	r Stecker, - 97
e Batterie, -n 94	e Garage, -n 100	e Maschine, -n 95	e Stimme, -n 100
e Beschreibung, -en 95	r Geburtstag, -e 100	r Meter, - 96	r Stock, ⸚e 93
e Bibliothek, -en 98	s Gerät, -e 94	e Mitte 95	r Teppich, -e 100
s Blatt, ⸚er 95	s Gewicht, -e 98	r Motor, -en 99	r Termin, -e 94
r Blitz, -e 96	s Gift, -e 101	r Mund, ⸚er 97	e Unterhaltung 98
e Bremse, -n 94	s Glas, ⸚er 94	e Nachbarin, -nen 95	e Vorsicht 96
e Brille, -n 94	r Gummi 100	e Öffnungszeit, -en 98	r Vorteil, -e 101
s Brot, -e 100	e Hand, ⸚e 96	s Papier 95	r Vortrag, ⸚e 98
r Bus, -se 92	r Herd, -e 100	e Pfanne, -n 100	e Ware, -n 89
r Deckel, - 97	r Hinweis, -e 96	r Plattenspieler, - 94	s Waschbecken, - 96
e Demonstration, -en 98	e Inflation, -en 98	r Preis, -e 94	e Waschmaschine, -n 92
e Dusche, -n 92	e Information, -en 98	r Quadratmeter, - 98	r Wecker, - 92
e Elektrizität 99	r Kaffee 93	s Radio, -s 92	s Wetter 101
s Erdgeschoß, Erdgeschosse 99	e Kamera, -s 96	r Regen 100	e Wirkung, -en 98
r Fernseher, - 92	r Kontakt, -e 97	r Rest, -e 100	e Zeichnung, -en 95
s Feuer, - 101	e Kopie, -n 95	r Schalter, - 96	r Zentimeter, - 95
s Feuerzeug, -e 94	r Kühlschrank, ⸚e 100	r Schatten, - 101	e Zigarre, -n 100
	r Lärm 101	e Scheibe, -n 100	
	s Licht 101	e Sekunde, -n 97	

Adjektive

automatisch 100	geschlossen 98	regelmäßig 98	ungefähr 94
endgültig 98	halb 93	sauber 100	verschieden 94
fällig 100	heiß 100	sauer 93	vorsichtig 97
fertig 94	höchstens 94	schmal 95	wertvoll 98
feucht 97	kalt 97	schmutzig 100	
ganz 92	kühl 100	stark 97	
geöffnet 96	leer 94	trocken 100	

Funktionswörter

beide 101	trotzdem 101	wegen 98	
daher 98	während 96		

Ausdrücke

heute abend 94
zu Fuß 93

Kerngrammatik

Positionsverben (§ 28)

	Infinitiv	*Präteritum*	*Perfekt*
(An einem Ort)	liegen	lag	hat gelegen
(Etwas an einen Ort)	legen	legte	hat gelegt
(An einem Ort)	sitzen	saß	hat gesessen
(Etwas an einen Ort)	setzen	setzte	hat gesetzt
(An einem Ort)	stehen	stand	hat gestanden
(Etwas an einen Ort)	stellen	stellte	hat gestellt
(An einem Ort)	hängen	hing	hat gehangen
(Etwas an einen Ort)	hängen	hängte	hat gehängt
(An einem Ort)	stecken	steckte	hat gesteckt
(Etwas an einen Ort)	stecken	steckte	hat gesteckt
(An einen Ort)	fahren	fuhr	ist gefahren
(Etwas an einen Ort)	fahren	fuhr	hat gefahren

Zusammengesetzte Nomen (§ 1)

Nomen	*Verb*	→ *Zusammengesetztes Nomen*
Taste	wiedergeben	Wiedergabetaste
Dose	stecken	Steckdose
Feld	anzeigen	Anzeigefeld

Verb	→ *Neues Nomen*
regeln	Regler
schalten	Schalter
stecken	Stecker

Lektion 8

Nach Übung

1

im Kursbuch

1. Samstag vor einer Woche. Schreiben Sie einen Text im Präteritum.

Sie müssen nicht alle Angaben benützen. Natürlich können Sie auch andere Tätigkeiten beschreiben.

„Etwa um zehn Uhr wachte ich auf. Aber ich wollte noch nicht aufstehen. Ich kochte nur schnell Kaffee und ...“

- um zehn Uhr aufwachen
- noch nicht aufstehen wollen
- Kaffee kochen
- nachsehen, ob Post im Briefkasten ist (nur Zeitung und Werbeprospekte)
- im Bett eine Tasse Kaffee trinken und Zeitung lesen
- erst gegen Mittag aufstehen
- ein Bad nehmen und dabei Musik hören
- zum Mittagessen in ein Restaurant gehen
- einen kleinen Spaziergang machen

- sich zu Hause eine Sportsendung im Fernsehen anschauen
- im Garten die Blumen gießen
- einen Brief schreiben
- überraschend Besuch von einem Freund bekommen
- gemeinsam zu Abend essen und Karten spielen
- um halb zwölf zu Bett gehen
- gleich einschlafen

Nach Übung

1

im Kursbuch

2. „Ein Tag in meinem Leben.“ Schreiben Sie.

Beschreiben Sie einen Tag aus Ihrem Leben. Wählen Sie eine der drei Möglichkeiten:

a) Ein Tag in Ihrer Kindheit, an den Sie sich noch gut erinnern
b) Ein Tag, an dem etwas Besonderes passiert ist
c) Der gestrige Tag

Tip: Notieren Sie zuerst die Verben, die Sie verwenden wollen, mit der korrekten Präteritumform. Beginnen Sie erst dann, Ihren Text zu schreiben. Bitten Sie Ihre Lehrerin bzw. Ihren Lehrer, den Text zu korrigieren.

Nach Übung

im Kursbuch

3. Wiederholung: Verben. Welches Verb paßt nicht dazu?

a) Wasser: waschen, spülen, baden, duschen, anzünden, schwimmen, fließen
b) Freunde: begrüßen, treffen, einladen, reparieren, anrufen, mögen, besuchen
c) Auto: fahren, einsteigen, aussteigen, abbiegen, abschleppen, starten, bremsen, hupen, atmen
d) Geld: verdienen, bezahlen, ausruhen, ausgeben, einkaufen, sparen, einzahlen, zählen, überweisen, wechseln
e) Augen: sehen, entdecken, beobachten, schauen, lesen, weinen, bemerken, riechen, erkennen
f) Mund: sprechen, sagen, reden, rufen, hören, singen, schimpfen, erzählen, küssen
g) Beine: laufen, gehen, rennen, springen, blühen, wandern, stehen, spazierengehen, tanzen, treten
h) Kopf: denken, überlegen, nachdenken, verstehen, klettern, begreifen, erinnern, glauben, meinen, vergessen
i) Hände: heben, halten, tragen, anfassen, berühren, schieben, drücken, zeichnen, festhalten, lügen, malen, schreiben

Nach Übung

1

im Kursbuch

4. Wiederholung: Uhrzeit.

Notieren Sie die Uhrzeit.

a) (nachmittags) Viertel nach vier: _16.15_   f) (abends) zwanzig vor neun: _____
b) (vormittags) halb zehn: _____   g) (morgens) fünf nach halb sieben: _____
c) (abends) Viertel vor acht: _____   h) (abends) elf Uhr: _____
d) (morgens) fünf nach halb fünf: _____   i) (vormittags) Viertel vor zwölf: _____
e) (nachmittags) zehn vor zwei: _____   j) Mitternacht: _____

Nach Übung

2

im Kursbuch

5. Was paßt zusammen?

a) Als ich eine neue Glühbirne einsetzen wollte,
b) Ich muß mit einem Stock herumlaufen,
c) Sicher hat die Werkstatt vergessen,
d) Um zur Arbeit zu fahren,
e) Wir haben alle gehofft,
f) Es tut mir wirklich leid,
g) Das ist die dümmste Entschuldigung,

1 eine neue Batterie einzusetzen.
2 daß wir den Lift bald wieder verlassen können.
3 die ich in meinem ganzen Leben gehört habe.
4 daß ich schon wieder zu spät komme.
5 bin ich von der Leiter gefallen.
6 mußte ich einen großen Umweg machen.
7 weil mein Fuß verletzt ist.

Nach Übung

2

im Kursbuch

6. Zeitliche Ordnung im Text. Ergänzen Sie.

| jetzt | dabei | gestern abend | zuerst | da | dann | heute morgen | danach |

A. Also, das war so: _____(a) wollte ich eine neue Glühbirne einsetzen und stand also oben auf der Leiter. Ich weiß nicht mehr wie, aber ich bin runtergefallen und habe mir _____(b) am Fuß weh getan. _____(c) sah es nicht so schlimm aus, aber _____(d) wurde der Fuß immer dicker. Na ja, und _____(e) war der Fuß ganz geschwollen. _____(f) bin ich doch lieber zum Arzt gegangen. _____(g) bin ich sofort mit einem Taxi zur Arbeit gefahren. _____(h) muß ich mit einem Stock herumlaufen, aber zum Glück ist der Fuß nicht gebrochen.

| zuerst | dann | heute morgen | danach | dann | da |

B. Entschuldigen Sie bitte, aber mir ist _____(a) etwas Komisches passiert. Ich stieg unten in den Lift und wollte rauffahren. _____(b) blieb er plötzlich stehen, irgendwo zwischen dem 6. und 7. Stock. Ich drückte den Alarmknopf. _____(c) passierte nichts, niemand meldete sich. _____(d) hörte ich Stimmen, und _____(e) sagte jemand von außen, daß es nicht lange dauern würde. Aber es dauerte _____(f) doch fast eine Stunde, bis der Lift wieder in Ordnung war und ich aussteigen konnte.

Lektion 8

Nach Übung

2

im Kursbuch

7. Wiederholung: Perfekt. Schreiben Sie die folgenden Sätze im Perfekt.

a) Ich stieg in einen Lift ein.

b) Plötzlich kam von hinten ein Auto.

c) Keiner wußte, was eigentlich los war.

d) Ich fiel von der Leiter.

e) Das Auto fuhr mich an.

f) Dann ging ich zu Fuß zur nächsten Haltestelle.

g) Als es passierte, las ich gerade die Zeitung.

h) Ich dachte nicht an meinen Termin.

i) Nach dem Unfall lief Benzin aus dem Tank.

j) Am Bahnhof nahm ich dann ein Taxi.

Nach Übung

4

im Kursbuch

8. Was muß heute gemacht werden?
→ Übung 14 auf Seite 14

a) Wohnung putzen:

   Die Wohnung muß geputzt werden.

b) Kinderzimmer aufräumen:

c) Wäsche waschen:

d) Lampe im Flur reparieren:

e) die Wäsche bügeln:

f) die Kinder aus der Schule holen:

g) das Geschirr abwaschen:

h) die Schuhe putzen:

i) die Vorhänge in die Reinigung bringen:

9. Welcher Satz paßt nicht?

Nach Übung

4

im Kursbuch

a) Das kostet so um 40 Mark.
Ⓐ Das kostet ungefähr 40 Mark.
Ⓑ Das wird etwa 40 Mark kosten.
Ⓒ Das kostet genau 40 Mark.

b) Kann die Uhr repariert werden?
Ⓐ Ist die Uhr zu reparieren?
Ⓑ Wer wird die Uhr reparieren?
Ⓒ Kann man die Uhr reparieren?

c) Die Uhr läuft nicht mehr.
Ⓐ Die Uhr hat keine Füße mehr.
Ⓑ Die Uhr geht nicht mehr.
Ⓒ Die Uhr funktioniert nicht mehr.

d) Die Reparatur kann teuer werden.
Ⓐ Die Reparatur wird wahrscheinlich nicht billig sein.
Ⓑ Die Reparatur muß nicht bezahlt werden.
Ⓒ Ich nehme an, daß die Reparatur viel Geld kosten wird.

e) Ich brauche die Uhr möglichst bald wieder.
Ⓐ Ich hätte die Uhr gerne so schnell wie möglich wieder zurück.
Ⓑ Ich möchte die Uhr möglichst schnell wiederhaben.
Ⓒ Es ist möglich, daß ich meine Uhr bald brauche.

10. Der falsche Fünfzigmarkschein. Ergänzen Sie den Bericht.

Nach Übung

5

im Kursbuch

Der falsche Fünfzigmarkschein

Ein echter Fünfzigmarkschein

auseinander	bei	weiter	darunter	entfernt	vertikal	links
oben		über		von	horizontal	zwischen
näher	zu nahe	rechts	beisammen	zu weit	unten	

a) Die Nummer steht *zu weit unten* ____ und _____ . Sie müßte
   etwa 10 Millimeter *weiter oben* ____ und etwa 2 Millimeter
   _____ stehen.

b) Die Buchstaben im Wort „Banknote" stehen _____ .
   Sie müßten _____ stehen.

c) Das Sechseck steht _____ der Zeichnung. Es müßte
   _____ oberen Bildrand stehen, also etwas
   _____ der Zeichnung.

d) Die Zahl 50 steht _____ .
   Sie müßte aber _____ stehen.

Lektion 8

e) Das Wort „FÜNFZIG" steht _____ .
   Es müßte _____ Wort „DEUTSCHE" stehen.

f) Die Unterschrift steht _____ der Zeile „Deutsche
   Bundesbank".
   Sie müßte aber _____ stehen, also
   _____ den Zeilen „Deutsche Bundesbank" und „Frankfurt am
   Main".

g) Außerdem steht die Unterschrift _____ .
   Sie müßte etwas _____ stehen.

h) Die Null der großen Zahl „50" steht _____ der Fünf.
   (Mit anderen Worten: Die beiden Zahlen stehen _____ .)
   Die Null müßte _____ der Fünf stehen.
   (Die beiden Zahlen müßten also _____ stehen.)

Nach Übung

6

im Kursbuch

11. Wie nennt man die Gegenstände oder Personen?

Verbstamm (+ -e-) + Nomen = neues Nomen

a) Einen *Knopf*, mit dem man etwas *umschalten* kann, nennt man *Umschaltknopf* .
b) Die *Taste*, mit der man die Kassette *stoppt*, nennt man _____ .
c) Den *Vorgang*, mit der eine Batterie *geladen* wird, nennt man _____ .
d) Ein *Feld*, auf dem etwas *angezeigt* wird, nennt man _____ .
e) Die *Maschine*, die *Geschirr spült*, nennt man _____ .
f) Die *Maschine*, mit der man Wäsche *wäscht*, nennt man _____ .
g) Einen *Ofen*, in dem man *backen* kann, nennt man _____ .
h) Die *Kabine*, in der man *duscht*, nennt man _____ .
i) Das *Gerät*, das manche Leute im Ohr haben, um besser *hören* zu können, nennt man
   _____ .
j) Einen *Regler*, den man *schieben* muß, nennt man _____ .
k) Eine *Lampe*, die man beim *Lesen* benutzt, nennt man _____ .
l) Ein *Gerät*, mit dem man etwas (z.B. die Stromstärke) *mißt*, nennt man
   _____ .

Verbstamm + -er = neues Nomen

m) Eine Maschine, mit der man *rechnen* kann, nennt man _____ .
n) Eine Taste, mit der man etwas *einschaltet* oder *ausschaltet*, nennt man
   _____ .
o) Einen Knopf, mit der man etwas *regelt* (z.B. die Lautstärke eines Radios), nennt man
   _____ .
p) Die Maschine, mit der man *Wäsche trocknet*, nennt man _____ .
q) Das Gerät, mit dem man etwas *kopiert*, nennt man _____ .
r) Die Person oder Firma, die etwas *herstellt*, nennt man _____ .
s) Die Person, die eine andere Person oder ein Gerät *prüft*, nennt man _____ .
t) Die Person, die eine andere Person *anruft*, nennt man _____ .
u) Die Person, die ein Auto *fährt*, nennt man _____ .

12. Sagen Sie es anders.

Nach Übung

7

im Kursbuch

a) Zuerst die richtige Filmenpfindlichkeit (z.B. 100 ASA) einstellen.

Zuerst müssen Sie die richtige Filmempfindlichkeit einstellen.
Zuerst muß die richtige Filmempfindlichkeit eingestellt werden.
Zuerst ist die richtige Filmempfindlichkeit einzustellen.
Stellen Sie zuerst die richtige Filmempfindlichkeit ein.

b) Zuerst die Klappe des Mobilteils öffnen.
c) Dann die Wahlwiederholtaste drücken.
d) Zum Schluß die Klappe schließen.

13. Was paßt?

Nach Übung

8

im Kursbuch

| zusammen | rein | ab | heraus | rauf | hinein | herunter | hinauf | zu | hoch | runter |

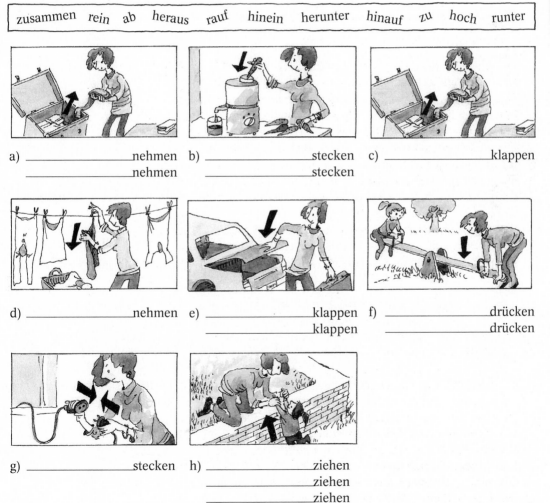

a) _____ nehmen
_____ nehmen

b) _____ stecken
_____ stecken

c) _____ klappen

d) _____ nehmen

e) _____ klappen
_____ klappen

f) _____ drücken
_____ drücken

g) _____ stecken

h) _____ ziehen
_____ ziehen
_____ ziehen

Lektion 8

Nach Übung

9

im Kursbuch

14. Ergänzen Sie.

mit   durch   hinauf / rauf   aus   zusammen   vor   weiter   hinunter / runter   weg   ab   heraus / raus

a) Das Auto ist total kaputt. Es ist _____ gerostet.

b) Die Bürste ist dreckig. Du mußt sie _____ spülen.

c) Du hast deinen Schlüssel verloren. Er ist aus deiner Tasche _____ gefallen.

d) Das Licht brennt noch. Du mußt es _____ schalten.

e) Der Winter in Nordschweden ist so kalt, daß man die Automotoren _____ wärmen muß.

f) Wenn du die Kleider _____ drückst, kannst du den Koffer schließen.

g) Wir wollen Karten spielen. Hast du Lust _____ zuspielen?

h) Die Pause ist zu Ende. Ihr müßt _____ arbeiten.

i) Ihr Büro ist im 2. Stock. Sie müssen hier die Treppe _____ gehen.

j) Was macht ihr am Wochenende? Fahrt ihr _____ oder bleibt ihr zu Hause?

k) Die Treppe ist sehr gefährlich. Passen Sie auf, wenn Sie _____ gehen.

Nach Übung

10

im Kursbuch

15. Attribute mit Genitiv oder mit Präpositionen? Ergänzen Sie.

→ Kursbuch, Seite 144; Themen neu 1, Arbeitsbuch: Übung 14 auf Seite 118

a) Das Deutsche Museum hat jährlich 1,5 Millionen Besucher _____ ganzen Welt.

b) Es informiert über die Geschichte der Technik und _____ Naturwissenschaften.

c) Der Besuch _____ Deutschen Museums ist eine Attraktion _____ Touristen.

d) Nach der Zerstörung _____ 2. Weltkrieg wurde das Museum neu aufgebaut.

e) Das Museum bietet auch Informationen _____ Arbeitswelt, _____ Bergbau und _____ Straßenbau.

f) Eine Führung _____ Museum dauert zwei Stunden.

g) Im Kongreßbau gibt es spezielle Räume _____ Vorträge und andere Veranstaltungen.

h) Das Original _____ ersten Dieselmotors steht im Erdgeschoß.

i) Kinder _____ 6 Jahren zahlen keinen Eintritt.

j) Schüler und Studenten _____ Ausweis zahlen nur 2 Mark 50 Eintritt.

Nach Übung

13

im Kursbuch

16. Warum waren diese Erfindungen wichtig?

→ Übungen 9 und 10 auf den Seiten 11–12

a) Kraftwerke: keine elektrischen Geräte, auch schwere Arbeiten von Hand machen müssen
   Ohne Kraftwerke gäbe es keine elektrischen Geräte, und man müßte auch schwere Arbeiten von Hand machen.

b) Buchdruck: neues Wissen nicht so leicht an andere Personen weitergeben können

c) Auto und Eisenbahn: zu Fuß gehen oder Fahrrad fahren müssen

d) Mikroskop: die Ursache vieler Krankheiten nicht erkannt haben

e) Penizillin: viele Menschen sterben jung

f) Satelliten im Weltraum: die Kontinente durch Telefonkabel verbinden müssen

g) Fotografie: die meisten Leute viel weniger genau wissen, wie die Welt aussieht

h) Fernsehen und Radio: schlechter informiert sein

Nach Übung

14

im Kursbuch

17. Was paßt zusammen?

a) In der Küche stand ein automatischer Herd,

b) Eine Stimme aus der Decke sagte,

c) Nicht nur die Versicherungsbeiträge seien fällig,

d) Weil es draußen regnete,

e) Niemand kam zum Frühstück,

f) Eine Spülmaschine reinigte das Geschirr,

g) Nachdem die winzigen Roboter ihre Arbeit getan hatten,

1 sondern auch die Rechnung für Wasser, Strom und Elektrizität.

2 als die Eier mit Speck und die Getränke fertig waren.

3 der das Frühstück machte.

4 war das Haus sauber.

5 von dem niemand gegessen hatte.

6 sollten die Bewohner Stiefel und Mäntel anziehen.

7 daß heute der zweite August sei.

Nach Übung

14

im Kursbuch

18. Was braucht man dafür?

→ Themen neu 2, Arbeitsbuch: Übungen 12, 14 und 22 auf den Seiten 86, 88 und 91

a) Kaffee kochen / Kaffeemaschine

Zum Kaffeekochen braucht man eine Kaffeemaschine.

Um Kaffee zu kochen, braucht man eine Kaffeemaschine.

b) Lebensmittel kühlen / Kühlschrank

c) Wäsche waschen / Waschmaschine

d) Geschirr spülen / Spüle oder Spülmaschine

e) Duschen / warmes Wasser

f) sauber machen / Reinigungsgeräte und Putzmittel

g) aufräumen / Lust und Geduld

h) Eier braten / Pfanne

Nach Übung

19

im Kursbuch

19. Was meinen die Personen?

→ Übungen 5 und 6 auf den Seiten 84–85

a) Nora: „Zuerst findet man neue Erfindungen meistens gut, aber später merkt man oft, daß dadurch die Natur zerstört wird."

Nora meint, zuerst finde man neue Erfindungen meistens gut, aber später merke man oft, daß die Natur

zerstört wird.

b) Konrad: „Das Auto verschmutzt die Luft, aber wir können trotzdem nicht darauf verzichten."

c) Gerd: „Die Sprays mit FCKW waren sehr praktisch, aber wir haben damit die Ozonschicht kaputtgemacht."

d) Jens: „Man muß Produkte entwickeln, deren Produktion wenig Energie verbraucht."

e) Andrea: „Die Technik ist gut für die Industrie, aber man muß aufpassen, daß sie den Menschen nicht ihre Arbeitsplätze wegnimmt."

f) Uwe: „Das Auto ist bequem, aber es produziert CO_2, das Gift ist für unseren Wald."

g) Renate: „Durch die moderne Kommunikationstechnik erhält man schnell neue Informationen."

h) Wolfgang: „Die Kernenergie spart Rohstoffe, aber sie ist eine Gefahr für unsere Sicherheit."

i) Anne: „Die Industrie braucht Chemiestoffe. Es muß aber dafür gesorgt werden, daß unser Wasser nicht durch Chemie vergiftet wird."

Lektion 8

20. Was paßt?

| mit | zu | auf | nach | zu | um | über | auf |

a) _____ | _d_ Zeit | achten   e) _____ | _d_ Leute | sprechen
      | _d_ Kinder | | _d_ Arbeit |
      | _d_ Maschine | | _d_ Kind |

b) _____ | _d_ Arbeit | beginnen   f) _____ | Informationen | suchen
      | _d_ Führung | _____ | _d_ Kasse |
      | _d_ Unterricht | | _d_ Toilette |

c) _____ | Kontrolle | dienen   g) _____ | Dieter | warten
      _____ | _Ihr_ Information | _____ | _d_ Bus |
      | _dei_ Sicherheit | | _d_ Anruf |

d) sich _____ | _dei_ Zukunft | handeln   h) _____ | _d_ Bildern | passen
      | _d_ Telefon | | _dies_ Thema |
      | _sei_ Chef | | _dei_ Kleid |

21. Ergänzen Sie die Nomen.

| Führung   Inflation   Öffnungszeiten *(Plural)*   Scheibe   Wirkung   Zigarre   Strom |
| Speck   Luft   Quadratmeter   Rest   Teppich   Mal   Gewicht   Vortrag |

a) Nach dem Essen zündete sich mein Großvater immer eine _____ an.

b) Die Wirtschaftskrise in den 20er Jahren hatte in Deutschland eine _____ zur Folge; das Geld war plötzlich nichts mehr wert.

c) Ein Zimmer wirkt gemütlicher, wenn ein _____ auf dem Boden liegt.

d) Kraftwerke, in denen der _____ aus Uran oder Plutonium erzeugt wird, liegen an Flüssen oder Seen, weil man zur Kühlung viel Wasser braucht.

e) Ich glaube, man kann das Museum auch an Sonntagen besuchen. Die genauen _____ kenne ich aber leider nicht.

f) Heute abend mußt du allein essen. Es ist noch ein _____ vom Mittagessen im Kühlschrank.

g) Möchtest du noch eine _____ Brot?

h) Durch die Autos wird die Qualität der _____ in den Städten immer schlechter.

i) Sonntags essen wir zum Frühstück immer gebratene Eier mit _____ .

j) Wer das Deutsche Museum zum ersten _____ besucht, ist beindruckt.

k) Unsere Wohnung ist nicht groß; sie hat nur 48 _____ .

l) Ich habe eine Schmerztablette genommen, aber bis jetzt spüre ich keine _____ .

m) Je nach Größe und _____ kosten die Eier zwischen 22 und 27 Pfennig.

n) Das Deutsche Museum ist sehr groß. Ich würde Ihnen deshalb empfehlen, beim ersten Besuch eine _____ mitzumachen.

o) Gestern habe ich einen _____ über die Geschichte der Raumfahrt gehört. Das war sehr interessant.

Kernwortschatz

Verben

ändern 105	bestrafen 112	mitmachen 105	üben 109
anziehen 109	dauern 104	reichen 106	überraschen 113
aufschreiben 107	demonstrieren 105	siegen 112	unterhalten 106
begrüßen 113	entstehen 105	spüren 106	unterscheiden 112
beleidigen 113	gewinnen 113	töten 113	weitergehen 107
bemühen 112	kümmern 107	trennen 105	

Nomen

e Absicht, -en 109	r Fußgänger, - 113	e Macht 112	e Schachtel, -n 112
e Ankunft 106	e Garderobe, -n 113	s Museum, Museen 108	e Schallplatte, -n 109
e Ansicht, -en 107	s Gebiet, -e 108	r Musiker, - 112	r Schein, -e 105
r Artikel, - 113	r Geschäftsmann, -leute 113	e Nachricht, -en 107	r Schriftsteller, - 105
r Ausdruck, ¨e 106	e Geschichte 107	r Nationalsozialismus 109	e Sicherheit 101
s Ausländeramt, ¨er 113	s Gewitter, - 113	e Natur 101	r Tänzer, - 109
r Bauch, ¨e 113	r Gott, ¨er 112	r Nazi, -s 105	e Tasche, -n 113
e Bedeutung, -en 109	r Hafen, ¨ 113	r Nebel 113	s Taschentuch, ¨er 113
r Bericht, -e 107	r Hammer, ¨ 113	e Oper, -n 112	s Theater, - 108
r Bleistift, -e 107	r Handschuh, -e 113	e Opposition 105	r Titel, - 104
r Bundeskanzler, - 113	r Hut, ¨e 113	r Osten 105	e Veranstaltung, -en 111
s Bundesland, ¨er 108	e Idee, -n 113	r Parkplatz, ¨e 113	s Verhalten 105
r Charakter, -e 113	r Journalist, -en 105	e Partei, -en 105	e Versammlung, -en 113
r Dichter, - 112	e Karte, -n 111	r Partner, - 113	r Vertrag, ¨e 112
s Diplom, -e 113	e Konferenz, -en 113	r Politiker, - 105	r Weltkrieg, -e 105
s Einschreiben, - 113	s Konzert, -e 108	s Programm, -e 111	e Wirklichkeit 112
s Einwohnermeldeamt, ¨er 113	r Krieg, -e 105	r Protest, -e 105	s Wörterbuch, ¨er 106
e Energie, -n 101	e Kultur, -en 108	s Prozent, -e 109	r Zahnarzt, ¨e 113
r Erfolg, -e 113	r Künstler, - 105	r Quatsch 111	r Zeuge, -n 113
s Ergebnis, -se 109	e Küste, -n 113	e Regierung, -en 105	s Ziel, -e 105
r Film, -e 109	s Lebensmittel, - 106	r Regisseur, -e 109	
e Folge, -n 106	r Lehrling, -e 113	r Ring, -e 113	
r Führerschein, -e 113	e Liste, -n 113	r Roman, -e 112	
	s Lokal, -e 109	e Rückkehr 113	

Lektion 9

Adjektive

ähnlich 109	klassisch 109	selbstverständlich 111
amerikanisch 109	kommunistisch 105	sympathisch 113
berühmt 108	konservativ 113	tief 113
blind 113	kräftig 113	wahrscheinlich 112
böse 112	kritisch 109	zahlreich 108
demokratisch 105	langweilig 111	
dunkel 112	militärisch 105	
giftig 105	neugierig 107	
häufig 112		

Adverbien

bald 105
deswegen 106
lieber 109
nachher 113
prima 111
soviel 112
später 105
wenig 111

Funktionswörter

bis zu 112	jeweils 104	immer mehr 105
einige 107	trotz 112	nur noch 105
insgesamt 108	viele 105	noch nicht 106

Kerngrammatik

Plusquamperfekt (§ 17)

Präteritum	*Plusquamperfekt*
Vorgestern kam ich zu spät ins Büro.	Mein Wecker <u>war stehengeblieben.</u>
Als ich am Bahnhof ankam,	<u>war</u> der Zug gerade <u>abgefahren.</u>
Als ich im Büro ankam,	<u>war</u> ein guter Kunde gerade wieder <u>weggegangen,</u> nachdem er eine Stunde lang auf mich <u>gewartet hatte.</u>

Indefinitpronomen „nichts", „wenig", „etwas", „viel", „alles" und Adjektiv (§ 9)

Gibt es <u>etwas</u> Neues?
Das war <u>nichts</u> Besonderes.
Ich habe nicht <u>viel</u> Gutes über ihn gehört.
Er hat nur <u>wenig</u> Interessantes erzählt.
Ich habe ihm <u>alles</u> Gute gewünscht.

Lektion 9

Nach Übung

3

im Kursbuch

1. Sie haben die Kurztexte auf Seite 105 gelesen. Welche der folgenden Sätze stimmen mit deren Inhalt nicht überein?

a) Der 2. Weltkrieg dauerte sechs Jahre.
b) Der Krieg hatte über 50 Millionen Menschenleben gekostet.
c) Nach Kriegsende mußten viele Frauen allein für sich und ihre Kinder sorgen.
d) Mit einem Persilschein konnte man Waschmittel kaufen.
e) Alle Nazis bekamen einen Persilschein.
f) Fünfzehn Jahre nach dem Krieg ging es den Deutschen wirtschaftlich schon wieder gut.
g) Seit 1949 flüchteten viele Menschen von der DDR in die Bundesrepublik.
h) 1961 baute die Bundesrepublik die Berliner Mauer.
i) Viele Flüchtlinge haben an der Mauer den Tod gefunden.
j) Die sogenannten Achtundsechziger waren zum größten Teil Studenten.
k) Die Partei „Die Grünen" kämpft für die Interessen der Industrie.
l) Die Mitglieder der Friedensbewegung demonstrierten gegen die Kriegsgefahr und die Atomindustrie.

Nach Übung

3

im Kursbuch

2. Was paßt zusammen?

a) Nachdem der Krieg vorbei war,
b) Viele Frauen mußten allein für die Familie sorgen,
c) Der Marschallplan der USA half dabei,
d) Durch den Bau der Mauer in Berlin
e) Viele junge Leute waren unzufrieden darüber,
f) Die Grünen haben es erreicht,
g) Die Friedensbewegung ist keine Partei,

1 daß sich nach dem Krieg gesellschaftlich so wenig verändert hatte.
2 wurden Familien plötzlich getrennt.
3 wollten die Deutschen die Vergangenheit möglichst schnell vergessen.
4 sondern eine politische Kraft außerhalb des Parlaments.
5 die deutsche Wirtschaft wieder aufzubauen.
6 daß die Umwelt inzwischen ein Thema in allen Parteien ist.
7 weil ihre Männer tot oder in Gefangenschaft waren.

Nach Übung

3

im Kursbuch

3. Ergänzen Sie die Sätze mit dem passenden Nomen.

| Schriftsteller | Weltkrieg | Journalist | Künstler | Protest | Nazi |
| Titel | Regierung | Opposition | Ziel | Osten | Mehrheit |

a) Nach dem Krieg wollte kein Deutscher mehr ein _____ gewesen sein.
b) Die Achtundsechziger hatten das _____ , die Gesellschaft zu verändern.
c) Auch der bekannte _____ Heinrich Böll gehörte bis zu seinem Tod zur Friedensbewegung.
d) Die Grünen konnten die Umwelt zu einem der wichtigsten Themen in der Politik machen, obwohl sie keine _____ im Parlament hatten.
e) Nach dem Zweiten _____ wurde Deutschland geteilt.

Lektion 9

f) Der _____ von Bürgern und Umweltschützern hat den Bau eines neuen Flughafens in München lange Zeit verhindert.

g) Ein anderer Name für die Achtundsechziger war „APO", eine Abkürzung für „außerparlamentarische _____".

h) In Deutschland wird das Parlament und damit indirekt auch die _____ alle vier Jahre neu gewählt.

i) Ein _____ ist Mitarbeiter einer Zeitung oder einer Zeitschrift.

j) Die Menschen, die im _____ von Berlin lebten, konnten nach dem Bau der Mauer nicht mehr in die Bundesrepublik kommen.

k) Welchen _____ hat das Buch, das Sie gerade lesen?

l) Er kann ganz gut malen, aber ein richtiger _____ ist er nicht.

Nach Übung

3

im Kursbuch

4. Präteritum oder Plusquamperfekt? Ergänzen Sie.

Jeder Deutsche (brauchen) *brauchte* eine Bescheinigung _____ (a), die (bestätigen) _____ (b), daß man nicht zu den Nazis *gehört hatte* (c).

In den 60er Jahren (kritisieren) _____ _____ (d) die Studenten, daß nach dem 2. Weltkrieg die Wirtschaftsordnung nicht (geändert werden) _____ _____ _____ (e).

Nachdem über drei Millionen Bürger von der DDR in die Bundesrepublik (flüchten) _____ _____ (f), (schließen) _____ die Regierung der DDR alle Grenzen _____ (g) und (bauen) _____ eine Mauer zwischen Ost- und West-Berlin _____ (h).

Die Deutschen, die im Osten Deutschlands (leben) _____ _____ (i), aber (fliehen) _____ _____ (j), bevor die Mauer (geöffnet werden) _____ _____ _____ (k), (haben) _____ es am schwersten _____ (l), weil sie durch die Flucht ihre Häuser und fast ihr ganzes Geld (verlieren) _____ _____ (m).

Die meisten Studenten, die in den 60er Jahren gegen den Krieg in Vietnam und den Kapitalismus (demonstrieren) _____ _____ (n), (machen) _____ später im Beruf Karriere _____ (o) und (werden) _____ zu normalen Bürgern _____ (p).

1960, also schon 15 Jahre nach Kriegsende, (geben) _____ es in Deutschland nur noch 100 000 Arbeitslose _____ (q). Eine der Voraussetzungen für diese schnelle wirtschaftliche Entwicklung (sein) _____ (r), daß die deutsche Industrie billige Kredite aus Amerika (bekommen) _____ _____ (s).

Nachdem 1949 eine neue Währung (eingeführt werden) _____ _____ _____ (t), (lohnen) _____ es sich wieder _____ (u), für Geld zu arbeiten. Vorher (tauschen) _____ man Waren meistens nur _____ (v), weil das alte Geld keinen Wert mehr (haben) _____ _____ (w).

In den 70er Jahren (beginnen) _____ man _____ (x), über Umweltschutz nachzudenken. Davor, in den 50er und 60er Jahren, (achten) _____ niemand auf die Schäden _____ (y), die durch die Industrie (entstehen) _____ _____ (z).

5. Ihre Grammatik. Ergänzen Sie die Zeitformen der Vergangenheit.

Nach Übung

3

im Kursbuch

	hören	fliehen	entlassen werden
ich	*hörte* *habe gehört* *hatte gehört*	*floh* *bin geflohen* *war geflohen*	*wurde entlassen* *bin entlassen worden* *war entlassen worden*
du			
er / sie / es / man			
wir			
ihr			
sie / Sie			

6. Beantworten Sie die folgenden Fragen schriftlich.

Nach Übung

4

im Kursbuch

a) Wie viele Tage nach Kriegsende brachte Hedwig ihr jüngstes Kind zur Welt?

b) Wo schlief Hedwigs eineinhalbjähriger Sohn?

c) Wo schlief Hedwigs Vater?

d) Was nahm Hedwig für die Kinder mit, wenn sie als Trümmerfrau arbeitete?

e) Worin transportierte Hedwig das gesammelte oder gestohlene Brennmaterial?

f) Was mußte Hedwig tun, um Lebensmittel zu bekommen?

g) Woraus fertigte Hedwig Kleidungsstücke an?

h) Wo hat Hedwig heute noch Schmerzen?

Lektion 9

Nach Übung

7

im Kursbuch

7. Welche beiden Sätze sagen sinngemäß das gleiche?

a) Ⓐ Ich weiß nicht, wo er seine Beine gelassen hat.
   Ⓑ Ich frage mich, was er mit seinen Beinen gemacht hat.
   Ⓒ Ich möchte wissen, warum er keine Beine mehr hat.

b) Ⓐ Sie haben von dem Elend nicht viel mitbekommen.
   Ⓑ Sie haben sich große Sorgen gemacht.
   Ⓒ Sie haben nicht viel gemerkt von der schlimmen Situation.

c) Ⓐ Es blieb nicht aus, daß ich stehlen mußte.
   Ⓑ Ich blieb zu Hause, um nicht stehlen zu müssen.
   Ⓒ Manchmal hatte ich keine andere Wahl als zu stehlen.

d) Ⓐ In den Geschäften gab es nicht viel zu kaufen.
   Ⓑ Vor den Lebensmittelgeschäften mußte man in der Schlange stehen.
   Ⓒ Man mußte lange warten, bevor man in den Geschäften etwas kaufen konnte.

e) Ⓐ Aus alten Säcken fertigte ich Kleidung für die Kinder an.
   Ⓑ Aus dem Stoff von alten Säcken nähte ich Kleider für die Kinder.
   Ⓒ Für die Kinder machte ich Kleider, die aussahen wie alte Säcke.

f) Ⓐ Meine Gelenke sind nicht mehr in Ordnung.
   Ⓑ Ich habe keine Gelenke mehr.
   Ⓒ Ich habe Probleme mit meinen Gelenken.

Nach Übung

8

im Kursbuch

8. Wiederholung: Indirekter Fragesatz.
→ Themen neu 2, Arbeitsbuch: Übungen 13 und 14 auf den Seiten 86–87

wie	was	warum	wer	wo	wohin	wann	welcher

a) Ich frage mich, _____ man sich mit Ereignissen beschäftigen soll, die schon viele hundert Jahre zurückliegen.
b) Heute wollte der Lehrer von mir wissen, _____ der erste Weltkrieg angefangen hat, aber ich konnte mich nicht an die Jahreszahl erinnern.
c) Morgen schreiben wir einen Test in Geschichte. Weißt du noch, _____ wir dafür lernen sollen?
d) In Geschichte interessiert mich besonders, _____ die Menschen früher gelebt haben.
e) Nach dem Zweiten Weltkrieg wußten viele Flüchtlinge nicht, _____ sie gehen sollten.
f) Es interessiert mich einfach nicht, _____ König oder Kaiser vor tausend Jahren regiert hat.
g) Mich interessiert die Frage, _____ die ersten Menschen gelebt haben. Wahrscheinlich war es in Ostafrika, aber ganz sicher weiß man es nicht.
h) Weißt du noch, _____ Julius Cäsar getötet hat? – Ja, das war Brutus.

9. Wiederholung: Meinung und Einstellung. Was paßt zusammen?

Nach Übung

8

im Kursbuch

a) Ich bin davon überzeugt, daß die Wiedervereinigung noch viel Geld kosten wird.

b) Ich glaube, daß die Wiedervereinigung noch viel Geld kosten wird.

c) Ich bezweifle, daß die Wiedervereinigung noch viel Geld kosten wird.

d) Ich mache mir Sorgen, daß die Wiedervereinigung noch viel Geld kosten wird.

e) Es ist mir egal, daß die Wiedervereinigung noch viel Geld kosten wird.

1 Ich glaube nicht, daß die Wiedervereinigung noch viel Geld kosten wird.

2 Ich fürchte, daß die Wiedervereinigung noch viel Geld kosten wird.

3 Es macht mir nichts aus, daß die Wiedervereinigung noch viel Geld kosten wird.

4 Ich bin sicher, daß die Wiedervereinigung noch viel Geld kosten wird.

5 Ich nehme an, daß die Wiedervereinigung noch viel Geld kosten wird.

10. Was meinen die Jugendlichen?

→ Themen neu 2, Arbeitsbuch: Übungen 12–15 auf den Seiten 60–61

Nach Übung

8

im Kursbuch

a) Maria: Man kann aus der Geschichte viel lernen.
   Maria meint, man könne aus der Geschichte viel lernen.
   Maria meint, daß man aus der Geschichte viel lernen könne.

b) Kurt: Man sollte sich nicht mit alten Sachen beschäftigen, die schon lange vergessen sind.

c) Babsi: Geschichte ist spannend, weil sie voller Zufälle ist.

d) Nicole: Die Menschen haben aus ihrer Geschichte nichts gelernt.

e) Werner: Die Geschichtswissenschaft sollte sich auch für das Leben der normalen Menschen interessieren.

f) Thomas: Man muß sich mit Geschichte beschäftigen, weil sie zu unserem Leben gehört.

g) Astrid: Aus der Geschichte kann man erklären, warum das Leben heute so ist und nicht anders.

11. Schreiben Sie.

Nach Übung

9

im Kursbuch

Sie erinnern sich sicher an einen Kinofilm, der Ihnen besonders gut gefallen hat. Schreiben Sie darüber einen kurzen Text; Sie können ihn später im Kurs vorlesen. (Sie können natürlich auch über ein Theaterstück oder eine Oper schreiben.)

Geben Sie, wenn möglich, die folgenden Informationen:

– Wie hieß der Film?
– Wann (ungefähr) haben Sie ihn gesehen?
– Wo haben Sie ihn gesehen?
– Welche Schauspieler hatten die Hauptrollen?
– Erzählen Sie etwas über die Handlung des Films.

– Wie hieß der Regisseur?
– Was für ein Film war es? Ein Liebesfilm, ein Actionfilm, ein Horrorfilm, eine Komödie?
– Warum hat Ihnen dieser Film besonders gut gefallen?

Lektion 9

Nach Übung

9

im Kursbuch

12. Bringen Sie die Sätze in Ordnung.

In den Texten auf S.108 und 109 im Kursbuch haben Sie die fünf Sätze gelesen, die hier durcheinander geraten sind. Versuchen Sie, die Sätze wieder in Ordnung zu bringen, ohne im Kursbuch nachzulesen.

a) eines so wie Durchschnitt Einnahmen Ausgaben fünfmal sind die Theaters die groß im

Im Durchschnitt sind

b) Deutsche Museum berühmtesten in eines der Museen Deutschland in München ist das

Eines der berühmtesten

c) Höhepunkte sind im Musikfestspiele Stadt einer Kulturleben

Musikfestspiele

d) Musikhörer heute keiner zu gegeben Zeit so viele hat es wie

Zu keiner Zeit

e) Kinobesucher 80 sind zwischen alt 14 Prozent und 29 etwa aller Jahre

Etwa 80 Prozent

f) Hamburger Stuttgarter berühmtesten am sind Ballett zur Zeit wohl das und das

Am berühmtesten

Nach Übung

11

im Kursbuch

13. „Etwas" oder „nichts" + Adjektiv. Ergänzen Sie.

a) Bei dem Unfall wurde niemand verletzt. Es ist (schlimm) *nichts* _____ *Schlimmes* passiert.

b) Es ist (schlimm) _____ _____ passiert. Herr Kramer hatte einen Unfall. Er liegt schwer verletzt im Krankenhaus.

c) ○ Hat der Chef dich heute genauer informiert? – □ Nein, er hat mir (neu) _____ _____ erzählt.

d) ○ Möchtest du einen Kaffee oder einen Tee? – □ Nein danke, ich möchte lieber (kalt) _____ _____ trinken.

e) Die Schuhe gefallen mir, aber so viel Geld möchte ich nicht ausgeben. Haben Sie vielleicht (billiger) _____ _____ .

f) ○ Willst du heute abend fernsehen? – □ Nein, es gibt (interessant) _____
_____ im Programm.

g) Diese Maschine kann ich Ihnen sehr empfehlen. Es gibt (besser) _____
_____ .

h) Maria hat nächste Woche Geburtstag. Ich will ihr (schön) _____ _____
für ihre Wohnung schenken.

i) Meine Schwester hat häufig Magenschmerzen. Der Arzt hat gesagt, daß sie (scharf)
_____ _____ essen darf.

j) Ich habe nichts mehr zu lesen. Hast du vielleicht (spannend) _____
_____ für mich?

14. Bemerkungen zu einem Theaterbesuch. Welcher Satz paßt nicht zu den drei anderen?

Nach Übung

11

im Kursbuch

a) Ⓐ Das ist nichts für mich.
Ⓑ Das gefällt mir nicht.
Ⓒ Das kenne ich nicht.
Ⓓ Das ist nicht nach meinem
Geschmack.

b) Ⓐ Davon verstehe ich nichts.
Ⓑ Dafür habe ich kein Verständnis.
Ⓒ Davon habe ich keine Ahnung.
Ⓓ Damit kenne ich mich nicht aus.

c) Ⓐ Das wollte ich schon immer mal sehen.
Ⓑ Ich habe schon lange den Wunsch, das
zu sehen.
Ⓒ Es interessiert mich schon lange, das
zu sehen.
Ⓓ Das möchte ich mehrmals sehen.

d) Ⓐ Das war nicht gut.
Ⓑ Das hat sich nicht gelohnt.
Ⓒ Das war viel zu teuer.
Ⓓ Das war es nicht wert.

e) Ⓐ Na ja, es ging so.
Ⓑ Nun ja, es war nicht schlecht.
Ⓒ Nichts Besonderes, aber man konnte
es sich ansehen.
Ⓓ Es war zum Davonlaufen

f) Ⓐ Das ist großer Quatsch.
Ⓑ Ich bin vollkommen begeistert.
Ⓒ Ich finde es einfach phantastisch.
Ⓓ Es ist wunderbar.

15. Wo passen die Präpositionen?

Nach Übung

12

im Kursbuch

um	von	zu / zum / zur	über	aus	mit	bei	für

a) _____

_d_____Kinder	sorgen
_d_____Arbeitslosen	
_d_____Mittagessen	

b) _____

_____Scheck	bezahlen
_d_____Leben	
_ein_____Kreditkarte	

c) _____

_d_____Krieg	berichten
_ihr_____Flucht	sprechen
_d_____Nazizeit	

_____

_d_____Krieg	
_d_____Flucht	
_d_____Nazizeit	

Lektion 9

d) _____

_d_____Demonstration	mitmachen
_uns_____Spiel	
_ei_____Ausflug	

e) _____

_____Leben	gehören
_____Familie	
_____Regierung	

f) _____

_____Mord und Betrug	handeln
_ein_____Liebesgeschichte	
_d_____Kriegszeit	

g) sich _____

_d_____Gegenwart	kümmern
_d_____Abendessen	
_d_____Patienten	

h) _____

_d_____Geschichte	lernen
_d_____Erfahrung	
_d_____Erzählung	

i) sich _____

_____Goethes	unterscheiden
_____Werk	
_dei_____Plan	
_dei_____Meinung	

j) _____

_d_____Feinde	siegen
_d_____Teufel	
_eur_____Mannschaft	

k) etwas

_____Musik	verstehen
_____Kochen	
_____Computern	

l) _____

_d_____Kriegszeit	schreiben
_sein____Probleme	erzählen
_sein____Kinder	

_____

_d_____Kriegszeit
_sein____Problemen
_sein____Kindern

Nach Übung

12

im Kursbuch

16. Wiederholung: Adverbien. Welches Adverb paßt?

a) Johann Wolfgang von Goethe arbeitete   *fast / endlich / erst*   sein ganzes Leben lang am „Faust".

b) Der zweite Teil des „Faust" erschien   *erst / fast / nur*   nach Goethes Tod, im Jahre 1832.

c) Goethe hat die Geschichte des Dr. Faustus   *wenigstens / allerdings / normalerweise*   nicht selbst erfunden.

d) Andere Dichter haben   *ebenfalls / außerdem / eigentlich*   Bücher über Faust geschrieben.

e) Christopher Marlowe schrieb   *fast / schon / kaum*   im Jahre 1589 ein Theaterstück über Faust.

f) Als Faust   *ausnahmsweise / möglichst / schließlich*   sagt, daß er zufrieden sei, muß er nicht mit dem Teufel gehen, obwohl er seine Wette mit ihm verloren hat.

g) In früheren Dichtungen war Faust   *beinahe / vielleicht / immer*   mit der Hölle bestraft worden.

h) Goethes „Faust" ist   *jeweils / jedenfalls / jedesmal*   von allen Faust-Werken das berühmteste.

i) Daß Goethe ein Theaterstück über Faust geschrieben hat, weiß   *etwa / fast / möglichst*   jeder, der in Deutschland zur Schule gegangen ist.

126   einhundertsechsundzwanzig

17. Plusquamperfekt oder Konjunktiv II der Vergangenheit?

Nach Übung

12

im Kursbuch

a) Als im Jahr 1832 der zweite Teil von Goethes Faust als Buch erschien, _____ Goethe schon gestorben.

b) Wenn Goethe als Kind das Stück von Marlowe nicht gesehen _____ , dann _____ er seinen „Faust" vielleicht nie geschrieben.

c) Mephisto mußte Faust alle Geheimnisse der Welt zeigen, weil er einen Vertrag mit ihm geschlossen _____ .

d) Nachdem Faust mit Mephistos Hilfe viele Dinge erfahren _____ , sagte er, daß er zufrieden sei.

e) In den Büchern, die vor Goethes Zeit über Faust geschrieben worden _____ , _____ Faust immer mit der Hölle bestraft worden.

f) Wenn Goethe im 16. Jahrhundert gelebt _____ , dann _____ auch er in seinem Drama Faust mit der Hölle bestrafen müssen.

g) Im 16. Jahrhundert _____ es sicher nicht möglich gewesen, das Faust-Drama so zu schreiben, wie Goethe es getan hat.

h) Thomas Mann schrieb seinen Roman „Dr. Faustus" in den USA, nachdem er durch die Nationalsozialisten gezwungen worden _____ , Deutschland zu verlassen.

i) In diesem Roman spiegeln sich auch die Erfahrungen, die Thomas Mann mit dem Faschismus gemacht _____ .

j) Thomas Mann _____ seinen Faust-Roman und viele andere Werke nicht schreiben können, wenn er in Deutschland geblieben _____ .

18. Wiederholung: Nomen. Dinge aus dem Alltag. Was paßt zusammen?

Nach Seite

113

im Kursbuch

a) die Apfel beere *die Erdbeere* _____

b) das Auf mittel _____

c) das Brief zeug _____

d) der Bar schreiber _____

e) der Kleider zug _____

f) das Nahrungs meter _____

g) die Kopf sine _____

h) die Führer karte _____

i) die ~~Erd~~ bürste _____

j) das Feuer kissen _____

k) der Scheck schein _____

l) die Thermo klinge _____

m) der Blei bügel _____

n) die Kugel marke _____

o) das Rasier geld _____

p) der Zahn stift _____

Lektion 9

Nach Seite

113

im Kursbuch

19. Kreuzworträtsel

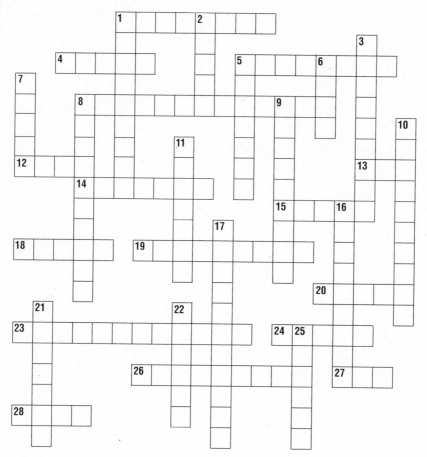

A. Lösen Sie das Rätsel.

Waagerecht:

1 Meine Schwester will zwei Jahre im Ausland arbeiten. Sie hofft, daß sie dann nach ihrer ▩ bessere Chancen im Beruf hat. **4** Zum Glück hatte ein ▩ den Unfall beobachtet und der Polizei genau berichtet, was passiert war. **5** Er spricht schon sehr gut Deutsch. Nur manchmal hat er Mühe, den genau passenden ▩ zu finden. **8** Der alte Lebensmittelladen soll von einem reichen ▩ gekauft worden sein. Bisher weiß niemand, was er damit machen will. **12** Beim Schachspiel gilt: Schwarze Dame auf schwarzes ▩, weiße Dame auf weißes ▩. **13** Im Sommer wird das ▩ zu diesem Park um 22.00 Uhr geschlossen. **14** Erinnerst du dich noch an den ▩, den wir unserem Deutschlehrer mal gespielt haben? **15** Bei ▩ muß man das Fahrlicht am Auto auch tagsüber einschalten. **18** Entschuldigen Sie, haben Sie ▩? Ich habe keine Streichhölzer dabei. **19** Unser Nachbar hat einen ganz schlechten ▩. Er ist ein Trinker, und manchmal schlägt er seine Kinder. **20** Mein Sohn hat die Schule vor dem Abitur verlassen. Natürlich hatte das zur ▩, daß er nicht studieren konnte. **23** Kommst du bitte mal? Der Briefträger ist da mit einem ▩ für dich! Das mußt du selbst unterschreiben. **24** Komm, wir gehen ins Kino. Wir wollen doch nicht jeden ▮ zu Hause bleiben! **26** Vor den Wahlen darfst du einem ▮ nicht alles glauben, was er sagt. Nach den Wahlen übrigens auch nicht! **27** Laß das Auto mal stehen und fahr mit dem ▮, das ist viel gesünder! **28** Am Abend nach der Abiturprüfung machen wir ein großes ▮, um unseren Schulabschluß zu feiern.

Senkrecht:

1 „Das Messer im Wasser" ist ein ganz toller Film. Für mich ist Roman Polanski sowieso der beste ▮ außerhalb der USA. **2** Die Modenschau war überhaupt nicht gut! Das Licht war nicht hell genug, die Musik war viel zu laut, und am teuersten Kleid der ganzen Kollektion fehlte sogar ein ▮! **3** Ich sammle alle Briefe und Postkarten, die ich bekomme. Sie liegen in einer ▮ im Wohnzimmerschrank. **5** Nach meiner ▮ ist es ein großer Fehler, daß im Deutschunterricht fast keine klassische Literatur mehr gelesen wird. **6** Hast du gesehen, Dörte trägt jetzt einen ▮. Hat sie sich verlobt? **7** Du darfst Jürgen nicht immer in Brasilien anrufen, das wird viel zu teuer! Schreib ihm doch mal einen ▮! **8** Schau mal, dort unter der Bank liegt etwas. Sieht aus wie ein ▮ – ja, tatsächlich, das sind zwanzig Mark! Wer hat die wohl verloren? **9** Mehr als die Hälfte der Ballettänzerinnen und -tänzer in Deutschland sind ▮. **10** In einer Großstadt passiert wahrscheinlich jede Nacht irgendein ▮ – ein Mord, ein Überfall oder ein schwerer Diebstahl. Da gibt es für die Polizei immer Arbeit. **11** Unsere Wohnung wäre ja ganz in Ordnung, aber unser ▮ in der Wohnung links neben uns ist leider ein sehr unangenehmer Mensch. **16** Unsere Stadt hat nur 25 000 ▮, aber wir haben trotzdem ein Theater. **17** Dieser Film ist ja schrecklich traurig. Ich bin schon ganz naßgeweint. Hast du ein ▮ für mich? **21** Goethe ist sicher der berühmteste deutsche ▮. **22** Mein Freund studiert Psychologie. Er ist jetzt im letzten Semester. Sobald er sein ▮ hat, wollen wir heiraten. **25** Seit dem 19. Jahrhundert werden Theater meistens durch die ▮ einer Stadt gegründet.

B. Ordnen Sie die Nomen.

der	die
	das

Lektion 9

Nach Seite
113
im Kursbuch

20. Welches Verb paßt nicht in die Reihe?

a) treffen, kennenlernen, vergessen, begrüßen

b) anrufen, kriegen, bekommen, erhalten

c) sehen, schauen, hören, beobachten

d) anfangen, feiern, beginnen, starten

e) töten, erschießen, verletzen, verkaufen

f) waschen, baden, putzen, reinigen, fliegen

g) tun, machen, radfahren, erledigen, handeln

h) erzählen, sprechen, reden, reisen, berichten

i) schreiben, laufen, gehen, rennen

j) wiegen, messen, zählen, trinken

k) schlagen, mögen, streiten, kämpfen

l) backen, kochen, braten, tanken

Nach Seite
113
im Kursbuch

21. Wiederholung: Superlativ.

→ Themen neu 1, Arbeitsbuch: Übungen 13 bis 15 auf den Seiten 108–109
Themen neu 2, Arbeitsbuch: Übungen 3 und 4 auf den Seiten 42–43

a) Wer ist zur Zeit der (gut) _____ Tennisspieler der Welt?

b) Wer spielt zur Zeit am (gut) _____ Fußball?

c) Wie heißt der (berühmt) _____ lebende Dichter Südamerikas?

d) Im Urlaub sind wir auf die (hoch) _____ Berge gestiegen.

e) Dieses Buch finde ich am (spannend) _____ .

f) Mein Bruder trägt am (gern) _____ Turnschuhe.

g) Das Theaterstück gestern abend fand ich überhaupt nicht gut. Am (viel) _____ habe ich mich über die schlechten Schauspieler geärgert.

h) Ich bin das (alt) _____ Kind von vier Geschwistern.

i) Heute war der (kalt) _____ Tag des Jahres.

j) Ich habe auf einer Ausstellung in Los Angeles die (teuer) _____ Autos der Welt gesehen.

k) Mir ist kalt, obwohl ich meinen (warm) _____ Pullover trage.

Nach Seite
113
im Kursbuch

22. Wiederholung: Komparativ.

→ Themen neu 1, Arbeitsbuch: Übungen 13 bis 15 auf den Seiten 108–109
Themen neu 2, Arbeitsbuch: Übungen 3 und 4 auf den Seiten 42–43

a) Das Theaterstück war (interessant) _____ , als ich dachte.

b) Schriftsteller zu werden ist (leicht) _____ , als man denkt.

c) Er ist zwar immer noch krank, aber es geht ihm heute doch schon viel (gut) _____ als gestern.

d) Die beiden Männer kämpfen miteinander, weil sie wissen wollen, wer der (stark) _____ ist.

e) Wir müssen uns eine (billig) _____ Wohnung suchen, weil wir die Miete nicht mehr bezahlen können.

f) Hier im Haus ist es (kühl) _____ als draußen.

g) Meine (jung) _____ Schwester lebt noch bei meinen Eltern.

h) Mein Bruder hat ein (hoch) _____ Einkommen als ich.

i) Oben auf dem Aussichtsturm hat man natürlich eine (gut) _____ Aussicht als hier unten.

j) Der Rock gefällt mir ganz gut, aber ich möchte lieber einen (kurz) _____ .

Kernwortschatz

Verben

abschneiden 122	berichten 120	laufen 117	sparen 124
anfangen 124	beschweren 120	lieben 122	stattfinden 116
angehen 121	bestehen 115	liefern 120	trinken 123
ansehen 118	bewerben 120	lösen 121	überzeugen 119
anstellen 124	bitten 120	losgehen 122	untersuchen 120
ärgern 121	einfallen 124	merken 120	verlangen 124
aufhören 124	erzählen 123	messen 124	vorbeifahren 117
aufmachen 116	fehlen 124	nützen 124	warnen 120
aufregen 121	gebrauchen 124	passen 116	zählen 123
ausfallen 124	holen 117	prüfen 122	zwingen 119
beginnen 123	kritisieren 120	schaden 124	
benutzen 119	lachen 121	sitzen 117	

Nomen

r Abschnitt, -e 122	e Eltern (Plural) 122	s Problem, -e 122	s Unglück 122
e Achtung 117	e Erfahrung, -en 122	e Prüfung, -en 116	r Unsinn 124
e Angst, ⸚e 118	r Fall, ⸚e 119	e Qualität, -en 124	s Verhältnis, -se 120
r Anschluß, An-	e Freude 118	r Ratschlag, ⸚e 123	s Verständnis 119
schlüsse 117	s Gesicht, -er 118	e Schrift, -en 118	e Vorstellung, -en
e Aufgabe, -n 120	e Gruppe, -n 117	r Sinn 119	120
e Aufmerksamkeit	r Hund, -e 121	e Sorge, -n 122	e Werkstatt, ⸚en 116
119	e Lösung, -en 122	r Spaß, ⸚e 122	e Zeitung, -en 120
e Auskunft, ⸚e 120	r Meister, - 116	e Speise, -n 119	e Zusammenarbeit
e Bewerbung, -en 53	e Methode, -n 120	e Stunde, -n 124	121
r Eindruck, ⸚e 118	e Minute, -n 124	s Tempo 124	
s Einkommen, - 119	e Phantasie 121	r Test, -s 118	

Adjektive

ängstlich 121	folgend- 118	klug 114	schnell 117
ausgezeichnet 119	früh 124	naß 96	sparsam 119
ausreichend 124	furchtbar 123	nervös 120	täglich 124
bereit 121	gefährlich 117	normal 119	überzeugt 122
blaß 118	gering 124	öffentlich 120	verboten 117
einfach 120	intelligent 118	praktisch 116	zufrieden 121
einzig 122	klar 120	privat 120	zuverlässig 119

Adverbien

außerdem 124	mindestens 123	sofort 121	unbedingt 122
besonders 120	normalerweise 123	sogar 122	völlig 122
jedenfalls 122	rechtzeitig 123	übrigens 122	zuletzt 124

Lektion 10

Kerngrammatik

Partizip 1 und Partizip II als Attribut (§ 25 und 33)

<u>aufgewirbeltes</u> Wasser	Wasser, das aufgewirbelt wird
eine ungleichmäßig <u>beleuchtete</u> Straße	eine Straße, die ungleichmäßig beleuchtet ist
ein dafür <u>geeigneter</u> Kindersitz	ein Kindersitz, der dafür geeignet ist
<u>entgegenkommende</u> Fahrzeuge	Fahrzeuge, die entgegenkommen
die vorn <u>sitzende</u> Person	die Person, die vorn sitzt
<u>spielende</u> Kinder	Kinder, die spielen

Verben mit Präpositionalergänzung (§ 40 und 41)

mit Präposition + Dativ

teilnehmen	an	handeln	mit	fragen	nach
verstehen	unter	reden		suchen	
bestehen	aus	…		…	
erwarten	von	Angst haben	vor	dienen	zu
halten		warnen		gehören	
…		…		…	

mit Präposition + Akkusativ

achten	auf	sorgen	für	Auskunft geben	über
ankommen		sich anmelden		berichten	
…		…		…	
denken	an	tun	gegen	gehen	um
sich erinnern		tauschen		sich bewerben	
…		…		…	

Subjunktor „je" („… desto") (§ 36b)

<u>Je</u> früher man anfängt, <u>desto</u> besser ist das Resultat.
<u>Je</u> bedeutender eine Prüfung ist, <u>desto</u> früher sollte man mit dem Lernen aufhören.

Nomen aus Verben (§ 2a)

Man versucht zu schätzen, wie lange man für <u>das Lernen</u> braucht.
<u>Das Hervorholen</u> von Wissen wird durch Lernprozesse gestört.
<u>Dieses Aufhören</u> erfordert Überwindung.

Lektion 10

Nach Übung

2

im Kursbuch

1. Welche Sätze sind sachlich falsch?

a) Eine mündliche Prüfung hat man bestanden, wenn man alle Fragen falsch beantwortet hat.
b) Bei der KFZ-Prüfung durch den TÜV wird der technische Zustand eines Fahrzeugs geprüft.
c) Nach der Abschlußprüfung in Medizin darf sich ein Arzt „Meister" nennen.
d) Der „Meister" ist ein qualifizierter Abschluß in den Handwerksberufen.
e) Wer die Führerscheinprüfung nicht besteht, darf selbst kein Auto fahren.
f) Bei einem Lehrerexamen wird der Lehrer von den Schülern geprüft.
g) Das Abitur ist die Abschlußprüfung des Gymnasiums.
h) Um den Führerschein zu bekommen, muß man eine schriftliche und eine praktische Prüfung ablegen.
i) Wer die Lehrzeit mit einer Prüfung abgeschlossen hat, darf selbst Lehrlinge ausbilden.

2. Beschreiben Sie die drei Fotos auf Seite 117 im Kursbuch.

Nach Übung

4

im Kursbuch

Suchen Sie zuerst die passenden Wörter und Ausdrücke zu jedem Bild.

a) Auf dem Bild zu Frage 1 sieht man...
b) Das Bild zu Frage 2 zeigt …
c) Auf dem Bild zu Frage 6 ist … zu sehen, …

(Im Lösungsschlüssel finden Sie Beispiele. Bitten Sie Ihre Lehrerin oder Ihren Lehrer um Korrektur.)

> Landstraße   Wohngebiet   Rücklichter   naß
> Fußball   Gegenverkehr   Kinder   Scheinwerfer
> Bäume am Straßenrand   Halteverbot   dunkel
> parkende Autos   rechts im Bild   hell   …

3. Lesen Sie noch einmal den Text auf Seite 117 im Kursbuch und schließen Sie dann das Buch. An welche Nomen können Sie sich erinnern?

Nach Übung

4

im Kursbuch

a) die   Fahrzeug   frage   *die Prüfungsfrage* _____
b) das   Fahr   gewicht   _____
c) die   Beifahrer   bahn   _____
d) die   Klein   verhältnisse   _____
e) die   Dunkel   geschwindigkeit   _____
f) der   Gewitter   bewerber   _____
g) der   ~~Prüfungs~~   sitz   _____
h) der   Führerschein   verkehr   _____
i) das   Sicht   kind   _____
j) das   Schritt   feld   _____
k) der   Gesamt   schauer   _____

Lektion 10

Nach Übung

4

im Kursbuch

4. Sagen Sie es anders.

a) Entgegenkommende Fahrzeuge werden erst spät erkannt.

Fahrzeuge, die entgegenkommen, werden erst spät erkannt.

b) Schlecht beleuchtete Fahrzeuge sind in der Dunkelheit schwer zu erkennen.
c) Kleinkinder dürfen nur in speziell für Kinder konstruierten Sitzen im Auto mitgenommen werden.
d) Sie müssen immer auf die vorausfahrenden Fahrzeuge achten.
e) Eines der Fußball spielenden Kinder könnte zurücklaufen.
f) In der Dunkelheit kann man die auf der Straße gehenden Fußgänger schlecht sehen.
g) Auch die schneller fahrenden Autos dürfen hier nicht überholen.

Nach Übung

4

im Kursbuch

5. Sagen Sie es anders.

a) Schlecht beleuchtete Fahrzeuge sind in der Dunkelheit schwer zu erkennen.

Schlecht beleuchtete Fahrzeuge kann man in der Dunkelheit schwer erkennen.

b) Das Auto war nicht mehr rechtzeitig zu bremsen. Es fuhr zu schnell.
c) Die Fußgänger auf der Straße waren nicht zu sehen.
d) Bei nasser Straße ist unbedingt langsam zu fahren.
e) Der Motor ist kaum zu hören, so leise ist er.
f) In solchen Straßen ist besonders auf spielende Kinder zu achten.
g) Der Motor war leicht zu reparieren.
h) Bei Nebel ist auch am Tag das Licht einzuschalten.
i) Die Fragen sind schwer zu verstehen.
j) Die Fragen sind in 40 Minuten zu beantworten.

Nach Übung

5

im Kursbuch

6. Wie ist Kurt? Schreiben Sie.

a) nie Angst haben, sich lächerlich machen

Kurt hat nie Angst davor, sich lächerlich zu machen.

b) sich immer drängeln, im Mittelpunkt stehen

c) Spaß haben, vor vielen Menschen sprechen

d) sich ständig bemühen, anderen Menschen von seinen Erfolgen erzählen

e) überzeugt sein, der Beste sein

f) andere Leute zwingen, ihm zuhören

g) immer sorgen, sich selbst in Szene setzen können

7. Was paßt zusammen?

Nach Übung

5

im Kursbuch

a) Versuchen Sie doch mal,
b) Sie fühlen sich nur wohl,
c) Glauben Sie denn,
d) Weil Sie genügend Selbstbewußtsein haben,
e) Sie sollten bedenken,
f) Sie sind bei Ihren Mitmenschen beliebt,

1 daß die anderen Menschen keine Fehler haben?
2 brauchen Sie die Bewunderung der anderen nicht.
3 vor mehreren Leuten frei zu sprechen.
4 weil Sie viel Rücksicht auf andere nehmen.
5 daß andere auch gern mal etwas sagen möchten.
6 wenn Sie im Mittelpunkt stehen.

8. Welcher Satz sagt das gleiche?

Nach Übung

6

im Kursbuch

a) Es hat mir die Sprache verschlagen.
Ⓐ Jemand hat mir auf den Mund geschlagen.
Ⓑ Ich bin so erstaunt, daß ich nichts mehr sagen kann.

b) Ich bin aus dem Konzept geraten.
Ⓐ Man hat mir das Rezept verraten.
Ⓑ Ich weiß nicht mehr, was ich als nächstes sagen wollte.

c) Die anderen kochen auch nur mit Wasser.
Ⓐ Die anderen sind auch nur ganz normale Menschen.
Ⓑ Die anderen sind auch schlechte Köche.

d) Neben ihm verblassen die anderen.
Ⓐ Wenn er da ist, bemerkt man die anderen Leute nicht mehr.
Ⓑ Jeder wird blaß im Gesicht, wenn er kommt.

e) Er steht im Mittelpunkt des Interesses.
Ⓐ Er interessiert sich für viele Dinge.
Ⓑ Alle interessieren sich für ihn.

f) Am Arbeitsplatz läuft alles schief.
Ⓐ Der Schreibtisch im Büro ist kaputt.
Ⓑ Im Beruf gibt es ständig Ärger und Probleme.

g) Er platzt sofort mit allen Neuigkeiten heraus.
Ⓐ Er erzählt sofort alle Neuigkeiten, ohne nachzudenken, ob es passend ist.
Ⓑ Er will immer sofort wissen, was es Neues gibt.

h) Er läuft zur Höchstform auf.
Ⓐ Er ist in bester Verfassung und zeigt, was er kann.
Ⓑ Er ist ein schneller Läufer.

9. Wie heißen die Nomen aus dem Text „Sadistische Rituale"?

Nach Übung

7

im Kursbuch

Seelen   Persönlichkeits   Nerven   Test   Grab   Bewerbungs

Leistungs   Stellen   Kontakt   Flug   Bahn

a) die _____kraft
b) das _____leben
c) das _____ticket
d) der _____test
e) der _____bewerber
f) der _____spezialist

g) die _____gesellschaft
h) die _____bereitschaft
i) das _____gespräch
j) die _____fähigkeit
k) der _____stein

Lektion 10

Nach Übung

9

im Kursbuch

10. Welches Adjektiv paßt?

Ein Mensch, ...

a) ... der gerne und viel arbeitet, ist _____ .
b) ... der nicht gerne arbeitet, ist _____ .
c) ... der ständig Streit anfängt, ist _____ .
d) ... der sich oft fürchtet, ist _____ .

e) ... der nichts weiß und nichts gelernt hat,
    ist _____ .
f) ... der immer die Wahrheit sagt, ist _____ .
g) ... der sich immer gut benimmt, ist _____ .
h) ... der ein großes Wissen hat, ist _____ .
i) ... der alles hat, was er sich wünscht,
    ist _____ .
j) ... den die meisten Leute mögen, ist _____ .

fleißig / gemütlich / neugierig
arbeitslos / faul / kräftig
lustig / langweilig / aggressiv
fürchterlich / schrecklich /
ängstlich
kritisch / intelligent / dumm

ehrlich / aufmerksam / gesund
merkwürdig / höflich / sauber
klug / liberal / sportlich
zuverlässig /zufrieden /
verrückt
sympathisch / schwierig / reich

Nach Übung

10

im Kursbuch

11. Zwei Sätze sagen etwa das gleiche. Welcher Satz paßt nicht dazu?

a) Ⓐ Davon halte ich nichts.
   Ⓑ Das finde ich nicht gut.
   Ⓒ Ich kann das nicht mehr halten.

b) Ⓐ Ich bin immer guter Laune.
   Ⓑ Ich bin noch nie krank gewesen.
   Ⓒ Ich bin immer fröhlich und zufrieden.

c) Ⓐ Das ist meine ganz persönliche und
      private Sache.
   Ⓑ Das geht niemanden etwas an.
   Ⓒ Dafür interessiert sich niemand.

d) Ⓐ Wir hatten eine Meinungsverschieden-
      heit.
   Ⓑ Wir waren gleicher Meinung.
   Ⓒ Wir hatten Streit.

e) Ⓐ Das ist meine Sache.
   Ⓑ Das gehört mir.
   Ⓒ Das mache ich so, wie ich will.

f) Ⓐ Dieser Witz ist unanständig.
   Ⓑ Dieser Witz ist nicht sehr lustig.
   Ⓒ Dieser Witz ist nichts für Kinder.

Nach Übung

13

im Kursbuch

12. Ergänzen Sie die richtigen Präpositionen (mit Artikel, wenn nötig).

a) Norbert hat die Prüfung _____ Mathematik bestanden.
b) Die Antwort _____ _____ letzte Frage weiß ich nicht.
c) Hast du große Angst _____ _____ Prüfung?
d) Er hat viel Verständnis _____ _____ Probleme der Studenten.
e) Bitte nehmen Sie Rücksicht _____ _____ Kinder.
f) Ihre Chancen _____ _____ Prüfung sind ganz gut.
g) Alle Bewerberinnen _____ _____ Stelle mußten einen Test machen.
h) Die Testergebnisse geben keine genaue Auskunft _____ _____ Charakter des
   Bewerbers.
i) Die Teilnahme _____ Test ist freiwillig.
j) Du solltest mit der Vorbereitung _____ _____ Prüfung unbedingt früh genug
   anfangen.

13. „Mit", „durch" oder „für"? Welche Präposition paßt?

Nach Übung

13

im Kursbuch

a) Der Fahrer wurde _____ _____ Polizei aufgefordert, seinen Führerschein zu zeigen.

b) Er ist mit einem Auto gefahren, obwohl er nur einen Führerschein _____ Motorräder hat.

c) In dieser Straße darf man nur _____ Schrittgeschwindigkeit fahren.

d) Auf der Party hat sie den ganzen Abend _____ Konrad geflirtet.

e) _____ _____ meisten Bewerber sind die Tests eine Qual.

f) Die Psychologen behaupten, daß man _____ _____ Tests keine genauen Informationen über die Bewerber bekommt.

g) Sabine lernt jeden Tag mindestens acht Stunden _____ _____ Prüfung.

h) Ich werde beim Lernen immer _____ _____ Krach in der Nachbarwohnung gestört.

i) Am liebsten lerne ich zusammen _____ ei_____ Freundin oder ei_____ Freund. Das macht mehr Spaß.

14. Schreiben Sie.

Nach Übung

14

im Kursbuch

Ein Freund von Ihnen steht vor einer Prüfung und ist ziemlich nervös. Schreiben Sie ihm von ihren eigenen Prüfungserfahrungen.

> Lieber Pedro,
>
> vor Deiner Prüfung will ich Dir noch alles Gute wünschen. Du schaffst es ganz bestimmt! Vor einer Prüfung ist man immer sehr nervös, aber oft klappt es dann besser, als man gedacht hat.
>
> Ich erinnere mich noch gut an meine letzte Prüfung. Das war …

Überlegen Sie vorher:

– Was für eine Prüfung war das? (Führerschein, Schulabschluß, …)

– Wie haben Sie sich davor gefühlt? (große Angst, nervös, unsicher, …)

– Wie haben Sie sich vorbereitet? (viel gelernt, oft geübt, jeden Tag, …)

– Wie lange haben Sie sich vorbereitet? (Wochen, Tage, …)

– Welche Tips können Sie aus eigener Erfahrung geben? (früh schlafen gehen, früh am Morgen lernen, auf gesunde Ernährung achten, Pausen machen, …)

– Wie ist ihre Prüfung verlaufen?

– …

(Bitten Sie Ihre Lehrerin oder Ihren Lehrer um die Korrektur Ihres Briefes.)

15. Wo ist ein Infinitivsatz möglich, wo nur ein Nebensatz mit „daß"?

Nach Übung

15

im Kursbuch

a) Es macht mir Spaß, … (Ich werde von allen bewundert)

Es macht mir Spaß, von allen bewundert zu werden.

Es macht mir Spaß, … (Meine Frau wird von allen bewundert.)

Es macht mir Spaß, daß meine Frau von allen bewundert wird.

Lektion 10

b) Ich befürchte, ... (Ich schaffe die Prüfung nicht.)
c) Ich freue mich, ... (Du hast die Prüfung bestanden.)
d) Die Firma hat Frau Marger mitgeteilt, ... (Sie kommt für die Stelle nicht in Frage.)
e) Er ist bereit, ... (Er beantwortet alle Fragen.)
f) Es ist wichtig, ... (Man macht einen guten Eindruck.)
g) Er ist sicher, ... (Sie bekommt die Stelle.)
h) Frau Dr. Hiller hofft, ... (Sie findet eine Lösung für unsere Probleme.)

Nach Übung

15

im Kursbuch

16. Welcher Subjunktor paßt?

a) | Bevor   Solange   Seit | ich mit den Prüfungsvorbereitungen begonnen habe, habe ich mir einen Arbeitsplan gemacht.

b) | Seit   Als   Während | die Prüfung vorbei war, habe ich erst einmal Urlaub gemacht.

c) | Als   Während   Nachdem | ich lerne, darf mich niemand stören.

d) | Bevor   Seit   Während | ich angefangen habe, für die Prüfung zu lernen, bleibe ich abends immer zu Hause.

e) | Während   Solange   Als | ich nicht weiß, was in der Prüfung verlangt wird, fange ich nicht mit den Vorbereitungen an.

f) | Nachdem   Während   Solange | ich mit meinem Prüfer gesprochen habe, bin ich nicht mehr so nervös.

Nach Übung

16

im Kursbuch

17. Ergänzen Sie die Sätze mit dem passenden Verb.

| vorbeifahren   schaden   losgehen   bewerben   ausfallen   angehen   abschneiden |

a) Ich habe letzte Woche meine Prüfung gemacht. – Ja? Dann erzähl doch mal. Wie ist sie denn _____ ?
b) Im Moment ist es wirklich sehr schwer, eine Stelle zu finden. Ich habe mich schon bei zwölf verschiedenen Firmen _____ .
c) Wenn an einer Unfallstelle schon Hilfe da ist, sollte man nicht aus Neugierde anhalten, sondern langsam _____ .
d) Meine Schwester ist sehr ehrgeizig. Bei Prüfungen will sie immer am besten von allen _____ .
e) Vor einer Prüfung bin ich immer sehr nervös; aber wenn es dann _____ , werde ich ganz ruhig.
f) Noch eine Frage, Herr Bauer. Leben Sie allein, oder wohnt Ihre Freundin bei Ihnen? – Tut mir leid, aber ich glaube nicht, daß Sie das etwas _____ .
g) Wenn man am Tag vor der Prüfung noch lernt, _____ das mehr, als es nützt.

18. Schreiben Sie.

Nach Übung

16

im Kursbuch

a) früher anfangen → besser lernen

Je früher man anfängt, desto besser lernt man.

b) der Prüfungstermin näher kommen → weniger lernen sollen
c) eine Prüfung bedeutender sein → früher mit dem Lernen aufhören sollen
d) ehrgeiziger sein → größere Prüfungsangst haben
e) Farbe eines Autos heller sein → besser in der Dunkelheit erkennen können
f) Franz mehr im Mittelpunkt des Interesses stehen → sich besser fühlen
g) Simon länger reden → die Zuhörer sich mehr langweilen

19. Wo passen die Präpositionen?

Nach Übung

16

im Kursbuch

an	auf	aus	mit	nach	über	um	von	vor	zu

a) _____ | Schwierigkeiten / stark_____ Verkehr / schlecht_____ Wetter | rechnen

b) _____ | d_____ Kinder / d_____ Gegenverkehr / d_____ Verkehrsschilder | achten

c) _____ | d_____ Prüfung / d_____ fremden Leuten / d_____ Zukunft | Angst haben / warnen

d) _____ | d_____ Prüfung / d_____ Gespräch / d_____ Fest | teilnehmen

e) _____ | d_____ Bewerbung / d_____ Stelle / d_____ Geld | verzichten

f) sich | _____ / _____ | ei_____ Stelle / ei_____ Amt / ei_____ Studienplatz | bewerben

g) sich | _____ / _____ | d_____ Test / d_____ Gespräch / d_____ Rede | vorbereiten

Lektion 10

h)
nichts	_____	d____ Sache	wissen
viel		d____ Aufgaben	
wenig		d____ Unglück	

i)
sich	_____	d____ Ergebnissen	erkundigen
		d____ Plan	
		d____ Preis	

j)
_____	d____ Fragen	diskutieren
	dei____ Vorschlag	berichten
	s____ Meinung	lachen

k)
_____	Prüfungsangst	führen
	groß____ Problemen	
	gut____ Leistungen	

l)
_____	d____ Arbeit	anfangen
	d____ Lernen	
	d____ Prüfung	

m)
_____	vier Teilen	bestehen
	zehn Lektionen	
	25 Aufgaben	

Nach Übung

16

im Kursbuch

20. Welches Nomen paßt?

| Aufmerksamkeit | Methode | Verhältnis | Anschluß | Eindruck |
| Achtung | Zusammenarbeit | Erfahrung | Verständnis | Dinge (Plural) |

a) _____ , hier müssen Sie ganz langsam fahren. Es ist ein Kindergarten in der Nähe.

b) Unserem Chef ist es wichtig, daß er ein gutes _____ zu seinen Angestellten hat.

c) Während seiner Rede hatte er die volle _____ der Zuhörer.

d) Die beiden sind sich sehr ähnlich; deshalb haben sie viel _____ füreinander.

e) Unser Sohn hat keine Freunde. Ich frage mich, warum er keinen _____ an andere junge Leute findet.

f) Ich glaube nicht, daß ein Einstellungstest die richtige _____ ist, den besten Bewerber herauszufinden.

g) Es genügt nicht, daß Sie ein intelligenter Mensch sind. Für uns ist es auch wichtig, daß die _____ mit den Kollegen klappt.

h) Nach meiner _____ mit Prüfungen weiß ich, daß es keinen Sinn hat, bis zur letzten Minute zu lernen.

i) Paul wird morgen geprüft. Ich habe den _____ , daß er sehr nervös ist.

j) Im Test wurde ich auch gefragt, ob meine Ehe glücklich sei. Ich finde es nicht richtig, daß man über so persönliche _____ Auskunft geben soll.

Schlüssel

Lektion 1

1 **A.** **a)** die Mülldeponie **b)** der Berggipfel **c)** die Blumenwiese **d)** die Bergbahn **e)** die Parkbank (die Gartenbank) **f)** das Gartentor (das Parktor) **g)** der Obstbaum **h)** das Wasserkraftwerk **i)** die Autobahn **j)** der Sonnenschirm **k)** der Bauernhof **l)** der Meeresstrand **m)** der Kirchturm **n)** der Aussichtsturm **o)** der Schulhof **p)** der Wanderweg **q)** der Badestrand **r)** die Anlegestelle **s)** das Surfbrett **t)** die Haltestelle **u)** das Ruderboot

B. **a)** die Mülldeponie, der Berggipfel, die Bergbahn, die Parkbank, das Gartentor, der Obstbaum, das Wasserkraftwerk, die Autobahn **b)** die Blumenwiese, der Sonnenschirm, der Bauernhof **c)** der Meeresstrand, der Aussichtsturm **d)** der Kirchturm, der Schulhof **e)** der Wanderweg, das Surfbrett, das Ruderboot **f)** der Badestrand, die Anlegestelle, die Haltestelle

2 **a)** das **b)** die **c)** der **d)** das **e)** die **f)** der **g)** die **h)** das **i)** der **j)** die **k)** das **l)** die **m)** das **n)** die **o)** das **p)** die, der

3 **a)** auf den **b)** auf dem **c)** an der **d)** zur **e)** an der **f)** im **g)** durch den **h)** im **i)** am **j)** über die **k)** unter dem **l)** am **m)** auf der **n)** um die **o)** über die **p)** in der **q)** in der **r)** zum **s)** auf dem **t)** am **u)** über den **v)** um den

4 **a)** die Wiese **b)** der Fluß **c)** das Obst **d)** das Tor **e)** das Boot **f)** der Schirm **g)** der Stall **h)** der Zaun **i)** der Garten **j)** der Bauernhof **k)** der Misthaufen **l)** der Berg **m)** der Weg **n)** die Sonne **o)** der Baum **p)** der Bus

5 Freie Lösung

6 **a)** Ich habe mich am Strand gesonnt.
b) Ich bin im Park spazierengegangen.
c) Ich bin auf den Aussichtsturm gestiegen.
d) Ich habe am See geangelt.
e) Ich habe auf dem Meer gerudert.
f) Ich habe im Garten Obst gepflückt.
g) Ich habe am Strand eine Sandburg gebaut.
h) Ich bin am Fluß entlanggefahren.
i) Ich habe im Meer gebadet.
j) Ich habe am Strand jemanden kennengelernt.
k) Ich habe mich im Schwimmbad geduscht.
l) Ich habe auf der Straße Geld gefunden.
m) Ich habe im Café gefrühstückt.
n) Ich habe einen Brief nach Hause geschrieben.
o) Ich habe im Museum fotografiert.
p) Ich habe mir im Kino einen Film angesehen.
q) Ich habe vor dem Hotel geparkt.
r) Ich habe mich im Hotelzimmer ausgeruht.

7 **a)** außerhalb **b)** nebenan **c)** um … herum **d)** innerhalb **e)** entlang **f)** gegenüber **g)** Um

8 **a)** hübsches, großen, komplette, tolles, kleines, moderne, richtiges, warmem
b) neuen, gutes, bequeme, schönen, ruhigen, schlechtem, großen, kalten, warmes, warmes
c) langer, gemütliches, separates, kleine, fließendem, warmem, speziellen, kleines, normalen, normalen, moderne

9 **A.**

ich	kam	traf	blieb	ging	stand
	käme	träfe	bliebe	ginge	stünde / stände
du	kamst	trafst	bliebst	gingst	standest
	kämest	träfest	bliebest	gingest	stündest / ständest
er, sie, es, man	kam	traf	blieb	ging	stand
	käme	träfe	bliebe	ginge	stünde / stände
wir	kamen	trafen	blieben	gingen	standen
	kämen	träfen	blieben	gingen	stünden / ständen
ihr	kamt	traft	bliebt	gingt	standet
	kämt	träfet	bliebet	ginget	stündet / ständet
sie, Sie	kamen	trafen	blieben	gingen	standen
	kämen	träfen	blieben	gingen	stünden / ständen

B. **a)** nahm, nähme **b)** schlief, schliefe **c)** brachte, brächte **d)** dachte, dächte **e)** fuhr, führe **f)** flog, flöge **g)** lief, liefe **h)** lag, läge **i)** trug, trüge **j)** stand, stünde / stände **k)** gab, gäbe **l)** behielt, behielte

10 **a)** sie käme immer pünktlich.
b) sie riefe mich jeden Tag an.
c) sie ginge öfter mit mir aus.
d) sie gäbe weniger Geld für ihr Auto aus.
e) sie schriebe mir jede Woche einen Brief.
f) sie ginge öfter mit mir spazieren.
g) sie käme jeden Tag vorbei.
h) sie bliebe immer mit mir zusammen.
i) sie ließe mich nie allein.
j) sie stünde (stände) morgens früher auf.
k) sie bekäme ein Kind.
l) sie fände mich attraktiv.
m) sie träfe sich nicht mit anderen Männern.
n) sie verstünde (verstände) meine Probleme.
o) sie gefiele anderen Männern nicht so gut.
p) sie hätte mehr Zeit für mich.
q) sie wäre etwas freundlicher.

11 **a)** hätte – könnte **b)** dürfte **c)** müßte **d)** hätte **e)** müßte **f)** hätte **g)** wäre **h)** dürfte **i)** müßte

12 Das kleine Haus <u>auf</u> der Wiese ist unser Haus. Der Turm <u>dahinter</u> ist ein alter Wasserturm. Die Garage habe ich letztes Jahr angebaut; rechts <u>davon</u> ist immer noch der Misthaufen (eines unserer Hühner spaziert gerade <u>darauf</u> herum), und

Schlüssel

<u>hinter</u> dem Misthaufen steht unser Apfelbaum. Wenn Du genau hinsiehst, dann kannst Du sogar sehen, daß ein Amselpärchen <u>darauf</u> ein Nest gebaut hat.
Links <u>neben</u> unserem Haus habe ich den großen Sonnenschirm aufgestellt. Der Mann, der <u>darunter</u> sitzt und Zeitung liest, bin ich! <u>Vor</u> mir steht der Tisch, den Du mir geschenkt hast, und das dunkle Ding <u>unter</u> dem Tisch ist unsere Katze. Mein Gartenhaus kannst Du leider nicht sehen, denn die Garage steht genau <u>davor</u>.

13 Hallo, Carlo, was ist ... → Na ja, ich muß ... → Was? Du wohnst ... → Mein Vermieter braucht ... → Kannst du nichts dagegen ... → Du weißt doch, was das Gesetz ... → Aber das wußte er ... → Das finde ich auch. Aber ... → Das weiß ich auch nicht. ...

14 a) Der Vertrag sollte vorher genau geprüft werden.
   b) In der Wohnung darf keine laute Musik gemacht werden.
   c) Der Vermieter muß informiert werden.
   d) Das Wohnzimmer muß renoviert werden.
   e) Die Wohnung kann sofort gemietet werden.
   f) Die Türen dürfen nicht gestrichen werden.
   g) Die Miete sollte pünktlich gezahlt werden.
   h) Die Wände müssen neu gestrichen werden.
   i) Das muß bewiesen werden.

15 Waagerecht: **3** SOFA **7** WASCHMASCHINE **8** HEIZUNG **10** TAPETE **11** DUSCHE **13** LAMPE **14** REGAL
   Senkrecht: **1** SCHRANK **2** SPIEGEL **3** STUHL **4** BADEWANNE **5** TISCH **6** SESSEL **9** KUEHLSCHRANK
   10 TEPPICH **12** BETT

16 a) 4 b) 7 c) 9 d) 6 e) 2 f) 5 g) 1 h) 8 i) 3

17 a) der Lichtschalter b) die Schere c) die Haarbürste d) der Kamm e) der Rasierapparat f) der Waschlappen g) das Handtuch h) die Steckdose i) der Stecker j) die Zahnbürste k) die Zahnpasta l) der Spiegel m) die Seife n) der Wasserhahn o) das Waschbecken

18 Lösungsvorschlag:
   1. Der Ofen steht nicht mehr rechts in der Ecke.
   2. Auf dem Fußboden liegt jetzt gar kein Teppich mehr.
   3. Der kleine Schrank steht jetzt rechts an der Wand.
   4. Der Plattenspieler steht nicht mehr auf dem kleinen Schrank, sondern auf dem Fußboden.
   5. Das Bild hängt nicht mehr links neben dem Fenster, sondern rechts.
   6. Die Lampe hängt nicht mehr tief herunter.

19 a) bedienen b) sich erkälten c) heizen d) meinen e) ordnen f) prüfen g) rechnen h) regieren i) reinigen j) senden k) verbinden l) zeichnen

20 A. a) Lied, das die Heimat besingt b) Stadtteil, der am Rand einer Stadt liegt c) Schirm, der vor der Sonne schützt d) Blume mit gelber Blüte, die hoch wächst e) Schrank, der nur mit einer Zahlenkombination zu öffnen ist f) Brücke, die über einen Fluß führt
   B. a) abfahren b) arbeiten c) baden d) beginnen e) bestehen f) dauern g) einsteigen h) fehlen i) feiern j) folgen k) fragen l) funktionieren

21 a) des b) der c) der d) einer – einer e) der – des – eines f) einer – eines g) eines h) eines i) eines – der j) eines – eines – einer k) eines l) eines – einer m) der – eines

22 a) C b) A c) B d) B e) A f) A

23 a) der b) den c) dem d) dessen e) die f) die g) der h) deren i) das j) das k) dem l) dessen m) die n) die o) denen p) deren

24 a) was b) wo c) was d) wo e) was f) wohin

25 a) 3 b) 5 c) 6 d) 1 e) 7 f) 4 g) 8 h) 2

Lektion 2

1 a) -en / -es   der Bahnübergang, das Auto
   b) -e / -er
   c) -er / -en
   d) -er / -en   der Radfahrer, die Katze
   e) -en / -es   das Verkehrsschild
   f) -es   das Paar
   g) -he   die Mauer
   h) -en / -en   die Richtung
   i) -en / -en   die Seite
   j) -en   der Unfall
   k) -es / -en
   l) -en   der Verkehr
   m) -e / -er   die Schlange, die Kreuzung

   n) -e   die Kuh
   o) -er / -en   der Erfolg
   p) -en / -er   die Ampel
   q) -e / -en   das Stück, die Autobahn
   r) -e / -e / -em / -en   das Vergnügen, das Pferd
   s) -er / -en / -er   die Jacke
   t) -e / -es   die Fähre
   u) -er / -er / -es / -es   das Mädchen
   v) -e / -en / -en   der Hund
   w) -en / -en   der Weg, der Hut
   x) -e / -e   die Familie, die Wohnung
   y) -en / -en   der Stock
   z) -en / -er / -e / -es   der Baum

2 Freie Lösung.

3 a) → i) → e)→ d) → f) → g) → b) → c) → h)

4 Lösungsvorschläge:
a) Einmal bin ich mit dem Auto nach … gefahren. In der Nähe von … wollte ich einen LKW überholen. Dabei stieß ich mit einem anderen Auto zusammen. Der Fahrer des anderen Autos hatte ein Autotelefon; er rief die Polizei. Zum Glück waren wir nicht verletzt. Aber mein Auto mußte ich danach in die Werkstatt bringen.
b) Einmal bin ich im Park spazierengegangen. Da sah ich plötzlich eine kleine Katze hoch oben in einem Baum. Sie war auf den Baum geklettert und wußte jetzt nicht mehr weiter. Ich wartete noch einen Moment, dann stieg ich selber auf den Baum. Ich nahm die Katze, aber mit der Katze in der Hand konnte ich nicht mehr heruntersteigen. Schließlich mußte ich selbst um Hilfe rufen. Bald kam eine Frau, der ich die Katze geben konnte. Danach mußten wir beide über die Situation lachen.
c) Letzte Woche wollten wir mit der Eisenbahn wegfahren. Wir nahmen ein Taxi zum Bahnhof, weil wir nicht mehr viel Zeit hatten. Aber dann standen wir mit dem Taxi plötzlich in einem großen Stau. Schließlich stiegen wir aus und gingen zu Fuß zum Bahnhof. Den Zug erreichten wir zum Glück gerade noch.

5 **a)** → 4 **b)** → 6 **c)** → 10 **d)** → 8 **e)** → 2 **f)** → 9 **g)** → 1 **h)** → 5 **i)** → 7 **j)** → 11 **k)** → 3

6 **a)** ins **b)** im **c)** am **d)** über den **e)** auf dem **f)** am **g)** an den **h)** auf den / über den **i)** im **j)** in den **k)** auf dem **l)** nach **m)** in **n)** ins **o)** im **p)** durch das **q)** am

7 **a)** hindurch **b)** hinunter **c)** hinüber **d)** hinauf – hinunter **e)** hinein **f)** hinein **g)** hinaus
Ihre Grammatik: hindurch, hinunter, hinüber, hinauf, hinein, hinaus

8 **a)** → 3 **b)** → 4 **c)** → 6 **d)** → 1 **e)** → 5 **f)** → 2

9 **a)** sind **b)** haben **c)** sind **d)** haben **e)** sind **f)** haben **g)** sind **h)** haben **i)** haben **j)** sind **k)** haben **l)** haben **m)** sind **n)** haben **o)** sind **p)** haben **q)** sind **r)** haben **s)** sind **t)** sind **u)** haben **v)** haben **w)** sind **x)** haben **y)** sind **z)** sind
Perfekt mit „sein": Bewegung: fahren, fliegen, springen, abbiegen, klettern, spazierengehen, wandern, einziehen, ziehen
Perfekt mit „sein": Veränderung eines Zustands: aufstehen, aufwachen, einschlafen

10 **a)** gelegt – liegen (hängen) **b)** steckt **c)** sitzen **d)** stehen **e)** liegt (sitzt) **f)** gesetzt **g)** gehängt

11 **a)** → 4 **b)** → 6 **c)** → 3 **d)** → 7 **e)** → 8 **f)** → 1 **g)** → 10 **h)** → 2 **i)** → 5 **j)** → 9

12 **a)** blau **b)** Burg **c)** Fahrrad **d)** Fähre **e)** Mond **f)** Kurve

13 **a)** schieben **b)** abschleppen **c)** eröffnen **d)** regeln **e)** stoßen **f)** zusammenstoßen **g)** überqueren **h)** verhaften **i)** anhalten

14 **a)** 3 **b)** 5 **c)** 7 **d)** 6 **e)** 1 **f)** 2 **g)** 4

15. **a)** Angstlust ist die Lust auf ein gefährliches Leben.
b) Reiselust ist die Lust, viel zu reisen.
c) Ein Freizeitmensch ist ein Mensch, der nur für die Freizeit lebt.
d) Ein Freizeitforscher ist ein Wissenschaftler, der die Freizeit erforscht.
e) Ein Autobahnabschnitt ist ein Teil einer Autobahn.
f) Eine Wochenendreise ist eine kurze Reise am Samstag und am Sonntag.
g) Landschaftszerstörung sind Vorgänge, die die Landschaft kaputtmachen.
h) Ein Industrieland ist ein Land, das viel Industrie hat. (… ein Land, in dem es viel Industrie gibt.)
i) Freizeit ist die Zeit, in der man nicht arbeiten muß.
j) Zukunftsangst ist die Angst vor der Zukunft.
k) Ein Freizeitspaß ist ein Spaß in der Freizeit.
l) Risikobereitschaft ist die Bereitschaft, etwas Gefährliches zu tun.
m) Urlaubszeit ist die Zeit, in der die meisten Menschen Urlaub haben.

16 **a)** wird ein Drittel der Bevölkerung dauernd Urlaub machen.
b) wird es auf unseren Straßen viel mehr Verkehr als heute geben. (… viel mehr Verkehr geben als heute.)
c) werden die Menschen für ihre Freizeit noch viel mehr Geld ausgeben. (… noch viel mehr Geld ausgeben für ihre Freizeit.)
d) werden viele Leute nicht wissen, was sie in ihrer Freizeit machen sollen.
e) werden die Leute viel mehr Freizeit als heute haben. (… haben als heute.)
f) werden Straßen, Städte, Hotels , Züge, Kinos und Theater wegen der „Massenfreizeit" ständig überfüllt sein.
g) werden die Menschen nur noch dreißig Stunden pro Woche arbeiten.
h) wird das Motto des Freizeitmenschen wahrscheinlich „Mobil und immer aktiv sein" heißen. (… wahrscheinlich heißen: „Mobil und immer aktiv sein".)

Schlüssel

17 **a)** Hilfsverb – Passiv **c)** Hilfsverb – Futur **e)** Hilfsverb – Futur **g)** normales Verb
b) Hilfsverb – Passiv **d)** normales Verb **f)** normales Verb

Ihre Grammatik:

Vorfeld	Verb$_1$	Subj.	Angabe	Ergänzung	Verb$_2$
a) Die Menschen	werden		nicht		gefragt.
b) Die Menschen	werden		von Computern		kontrolliert.
c) Die Menschen	werden			die Computer	kontrollieren.
d) Die Menschen	werden			wie Computer.	
e) Die Menschen	werden			mehr Hobbys	haben.
f) Die Menschen	werden			zu Warte-Profis.	
g) Die Menschen	werden			viel älter als früher.	

18 **A.** **a)** bedrohen **b)** vorbereiten **c)** prüfen **d)** wohnen **e)** versichern **f)** bedienen **g)** bestellen
h) kündigen **i)** regieren **j)** erfahren **k)** erinnern **l)** heizen **m)** ändern **n)** leisten **o)** verwalten
p) meinen **q)** entscheiden
B. **a)** müde **b)** möglich **c)** pünktlich **d)** sauber **e)** wirklich **f)** ähnlich **g)** schwierig **h)** deutlich
i) ehrlich **j)** freundlich **k)** gemütlich **l)** gefährlich **m)** genau **n)** häßlich **o)** langsam **p)** notwendig

19 **a)** Heute wird mehr Sport als früher getrieben. (... mehr
Sport getrieben als früher.)
b) Heute werden an den Grenzen keine Pässe mehr
kontrolliert.
c) Das Geld wird nächste Woche überwiesen.
d) Unser Auto wird in Belgien repariert.
e) Heute werden die Steuerformalitäten in den
Unternehmen und nicht an der Grenze erledigt.
(... in den Unternehmen erledigt und nicht an der
Grenze.)
f) Der Schlagbaum wird durchgesägt.
g) In der Freizeit wird zuviel Geld ausgegeben.

20
konnte	durfte	sollte	mußte	wollte
konntest	durftest	solltest	mußtest	wolltest
konnte	durfte	sollte	mußte	wollte
konnten	durften	sollten	mußten	wollten
konntet	durftet	solltet	mußtet	wolltet
konnten	durften	sollten	mußten	wollten

21 **a)** Ich habe Angst, daß die Preise steigen.
b) Viele Firmen klagen darüber, daß die Bürokratie in Europa zunimmt.
c) Wir sind nicht damit einverstanden, daß die Preise im nächsten Jahr erhöht werden.
d) Die meisten Leute kritisieren, daß die Steuern erhöht werden.
e) Ich bin froh darüber, daß die Steuergesetze geändert werden.
f) Die Bevölkerung erwartet, daß die Situation verbessert wird.
g) Ich habe nicht verstanden, daß er sich für diese Firma entschieden hat.
h) Ich hoffe, daß die Mark auch in Zukunft stabil bleibt.

22 **a)** A und B **b)** A und C **c)** B und C **d)** A und B **e)** B und C **f)** A und C **g)** A und B **h)** B und C

23 **a)** Urlaub im Zelt finde ich zu unbequem.
b) Übernachten wollen wir in einem Hotel.
c) In unserem Hotel können Sie auch frühstücken.
d) Auf Schiffsreisen werde ich immer seekrank.
e) Schweres Gepäck brauchen Sie nicht zu tragen.
f) Freie Plätze gibt es nicht mehr.
g) Bezahlen können Sie mit Scheck oder Kreditkarte.
h) Ihren Paß müssen Sie nicht mitnehmen.

24 **a)** C **b)** A **c)** B **d)** A **e)** B **f)** B

Lektion 3

1 **a)** Bein, Gabel: der Friseur
b) Wurst, Salat: der Bäcker
c) Apotheke, Garage: die Kellnerin
d) Winter, Gewitter: die Polizistin
e) Seife, Ofen: der Feuerwehrmann
f) Fabrik, Industrie: der Bauer
g) Fieber, Konzert: die Lehrerin
h) Museum, Montag: der Pfarrer
i) Kundin, Radio: die Sekretärin
j) Möbel, Meer: der Soldat

2 richtig: a), c), e), i), j), l), m), p), q), u), v), z)
falsch: b), d), f), g), h), k), n), o), r), s), t), w), x), y)

3 1 war 2 mithalfen 3 begannen 4 bauten 5 trennten 6 trampte 7 reiste ... ein 8 gab 9 blieb 10 ging 11 gefiel
12 waren 13 traf 14 lasen 15 suchte 16 meldeten 17 unterschrieben 18 kamen ... an 19 arbeitete 20 sprachen
21 verstand 22 lernte 23 wurde 24 bezahlte 25 bauten 26 hieß 27 flogen 28 fand 29 machte 30 war 31 bot
32 mußte 33 wartete 34 brauchte

4 **A.** auf „-te": bauen – baute – hat gebaut
trennen – trennte – hat getrennt
trampen – trampte – ist getrampt
einreisen – reiste ein – ist eingereist
suchen – suchte – hat gesucht
lernen – lernte – hat gelernt
bezahlen – bezahlte – hat bezahlt
machen – machte – hat gemacht
müssen – mußte – hat gemußt
brauchen – brauchte – hat gebraucht

auf „-ete": melden – meldete – hat gemeldet
arbeiten – arbeitete – hat gearbeitet
warten – wartete – hat gewartet

B. mit „a": sein – war – ist gewesen
mithelfen – halfen mit – haben mitgeholfen
beginnen – begann – hat begonnen
geben – gab – hat gegeben
treffen – traf – hat getroffen
lesen – las – hat gelesen
ankommen – kam an – sind angekommen
sprechen – sprach – hat gesprochen
verstehen – verstand – hat verstanden
finden – fand – hat gefunden

mit „i" oder „ie": bleiben – blieb – ist geblieben
gehen – ging – ist gegangen
gefallen – gefiel – hat gefallen
unterschreiben – unterschrieb – hat unterschrieben
heißen – hieß – hat geheißen

mit „o": fliegen – flog – ist geflogen
bieten – bot – hat geboten

mit „u": werden – wurde – ist geworden

5 **a)** Von – bis **b)** in den **c)** In den **d)** Nach dem **e)** Während der **f)** Im – seit dem **g)** Im **h)** Am – bis **i)** Vor der
j) Nach **k)** Seit

6 **a)** Herr Bong rät den jungen Leuten davon ab, den Beruf des Schreiners zu lernen.
b) Herr Bong hat Freude daran, Möbel herzustellen.
c) Ich habe mich darüber geärgert, so lange warten zu müssen. / ... daß ich so lange warten mußte.
d) Ich habe dich ja davor gewarnt, dieses Auto zu kaufen.
e) Jens hat mir dabei geholfen, mein Haus zu bauen.
f) Ich habe ihn gestern darauf hingewiesen, daß wir hier ein Problem haben. / ... daß ich ... habe. / ... daß er ...hat.

7 **a)** A **b)** B **c)** A **d)** A **e)** A **f)** B **g)** B

8 **a)** 274 + 703 = 977
b) 468 + 820 = 1288
c) 117 + 599 = 646
d) 2238 + 95 = 2333
e) 50310 + 4700 = 55010
f) 1250000 + 374000 = 1624000

9 **a)** Entwicklung **b)** Ausbildung **c)** Facharbeiter **d)** Arbeitszeit **e)** Aufenthalt

10

	Präsens	Präteritum	Perfekt
ich	werde geprüft	wurde geprüft	bin geprüft worden
du	wirst geprüft	wurdest geprüft	bist geprüft worden
er / sie / es / man	wird geprüft	wurde geprüft	ist geprüft worden
wir	werden geprüft	wurden geprüft	sind geprüft worden
ihr	werdet geprüft	wurdet geprüft	seid geprüft worden
sie	werden geprüft	wurden geprüft	sind geprüft worden

11 **A.** **a)** Nach den Musterzeichnungen werden Modellkleider genäht.
b) Die Modellkleider werden den Kunden auf einer Modenschau gezeigt.
c) Nach der Modenschau wird entschieden, welche Kleider produziert werden. / ... produziert werden sollen.
d) Zuerst werden aus den Stoffen die Einzelteile geschnitten.
e) Dann werden die Einzelteile am Fließband zusammengenäht.
f) Danach wird die Qualität der fertigen Kleider geprüft.
g) Jetzt müssen die fertigen Kleider gebügelt werden.
h) Zum Schluß werden die Kleider in Kartons gepackt und zu den Kunden geschickt.

Schlüssel

B. a) Nach den Musterzeichnungen wurden Modellkleider genäht.
b) Die Modellkleider wurden den Kunden auf einer Modenschau gezeigt.
c) Nach der Modenschau wurde entschieden, welche Kleider produziert werden. / … produziert werden sollten.
d) Zuerst wurden aus den Stoffen die Einzelteile geschnitten.
e) Dann wurden die Einzelteile am Fließband zusammengenäht.
f) Danach wurde die Qualität der fertigen Kleider geprüft.
g) Jetzt mußten die fertigen Kleider gebügelt werden.
h) Zum Schluß wurden die Kleider in Kartons gepackt und zu den Kunden geschickt.

C. a) Nach den Musterzeichnungen sind Modellkleider genäht worden.
b) Die Modellkleider sind den Kunden auf einer Modenschau gezeigt worden.
c) Nach der Modenschau ist entschieden worden, welche Kleider produziert werden. / … produziert werden sollten.
d) Zuerst sind aus den Stoffen die Einzelteile geschnitten worden.
e) Dann sind die Einzelteile am Fließband zusammengenäht worden.
f) Danach ist die Qualität der fertigen Kleider geprüft worden.
g) Jetzt haben die fertigen Kleider gebügelt werden müssen.
h) Zum Schluß sind die Kleider in Kartons gepackt und zu den Kunden geschickt worden.

12 a) Der Pullover darf nicht chemisch gereinigt werden.
b) Die Stoffqualität sollte vor dem Kauf genau geprüft werden.
c) Das Kleid muß geändert werden.
d) Das Hemd kann auch ohne Krawatte getragen werden.
e) Kann das Kleid in der Waschmaschine gewaschen werden?
f) Kann die Hose kürzer gemacht werden?

13 a) Die Wohnung ist letzte Woche renoviert worden.
Jetzt ist die Wohnung renoviert.
b) Das Auto ist gestern repariert worden.
Jetzt ist das Auto repariert.
c) Die Türen sind vor wenigen Tagen neu gestrichen worden.
Jetzt sind die Türen neu gestrichen.
d) Die Wohnung ist gestern aufgeräumt worden.
Jetzt ist die Wohnung aufgeräumt.
e) Die Fehler sind korrigiert worden.
Jetzt sind die Fehler korrigiert.
f) Ist die Rechnung schon bezahlt worden?
Ist die Rechnung jetzt bezahlt?

14

	Vorfeld	Verb$_1$	Subj.	Ergänzung	Angabe	Ergänzung	Verb$_2$	
a)	Wir	versichern		das Gebäude	natürlich	gegen Feuer.		
b)	Das Gebäude	wird			natürlich	gegen Feuer	versichert.	
c)	Wir	müssen		das Gebäude	natürlich	gegen Feuer	versichern.	
d)	Das Gebäude	muß			natürlich	gegen Feuer	versichert	werden.
e)	Wir	haben		das Gebäude	natürlich	gegen Feuer	versichert.	
f)	Das Gebäude	ist			natürlich	gegen Feuer	versichert	worden.
g)	Das Gebäude	ist			natürlich	gegen Feuer	versichert.	

15 Lösungsvorschlag:

Hut!

Trägt <u>immer</u> eine Brille!

kurzer <u>Bart!</u>

raucht <u>nicht mehr!</u>

Aktentasche!

kurze Haare!

<u>rechtes</u> Ohr größer als linkes!

trägt <u>immer</u> einen Anzug!

<u>schwarze</u> Schuhe!

16

	M	F	b			M	F	b			M	F	b
a)		x			f)		x			k)			x
b)			x		g)			x		l)		x	
c)	x				h)	x				m)		x	
d)		x			i)			x					
e)			x		j)	x							

Schlüssel

17 a) die Sandalen (Plural) **b)** der Bikini **c)** die Hausschuhe (Plural) **d)** die Jeans **e)** der Büstenhalter **f)** die Strumpfhose **g)** der Badeanzug **h)** die Stöckelschuhe (Plural) **i)** die Weste **j)** die Unterhose **k)** die Kniestrümpfe (Plural) **l)** der Schlafanzug **m)** das T-Shirt **n)** die Badehose **o)** der Hosenrock **p)** die Turnschuhe (Plural) **q)** die Socken (Plural) **r)** der Hosenanzug **s)** das Nachthemd

18 a) Ihr ist geschrieben worden.
b) Ihnen ist nicht geantwortet worden.
c) Gegen die neuen Gesetze wurde demonstriert.
d) Über dich wird gesprochen.
e) Über unseren Chef ist viel gelacht worden.
f) Lange wurde für höhere Löhne gekämpft.
g) Wurde der Frau geglaubt?
h) Konnte den Leuten geholfen werden?
i) Gegen die Entlassungen ist protestiert worden.
j) Für seine Mühe ist ihm nicht gedankt worden.

19 a) B **b)** C **c)** A **d)** B **e)** C **f)** A **g)** B **h)** C

20 a) Er hat mit seinen Kolleginnen und Kollegen immer Krach gehabt.
b) Er hat sich über seinen Erfolg sehr gefreut. / Über seinen Erfolg hat er sich sehr gefreut.
c) Er hat im Ausland mit Ersatzteilen gehandelt.
d) Er hat sich über die schlechte Qualität beschwert.
e) Er ist in Köln Taxi gefahren.
f) Ich würde das unter diesen Umständen auch tun. / Unter diesen Umständen würde ich das auch tun.
g) Man hat das ganze Werk wegen zu hoher Verluste geschlossen. / Wegen zu hoher Verluste hat man das ganze Werk geschlossen.
h) Er hat erst gestern mit der Arbeit angefangen.
i) Er hat immer Ärger mit seinen Arbeitskollegen gehabt. / Er hat mit seinen Arbeitskollegen immer Ärger gehabt.
j) Ich werde den Vertrag unter diesen Umständen nicht verlängern.

21 a) von 400 Mitarbeitern **b)** der Modenschau **c)** von Gift **d)** von Lärm **e)** der Arbeiter **f)** von Herbert Fuchs **g)** eines Angestellten **h)** der Produktion

22 a) mit **b)** für **c)** mit **d)** im **e)** zu **f)** vor **g)** aus **h)** am **i)** über **j)** zwischen **k)** für **l)** mit **m)** für

23 a) Bevor **b)** Nachdem **c)** Während **d)** Während **e)** Nachdem **f)** Bevor **g)** Bevor **h)** Nachdem **i)** Während

24 a) eingestellt **b)** geleitet **c)** entlassen **d)** aufgegeben **e)** beschäftigt **f)** liefert **g)** verursacht **h)** produziert **i)** übernehmen **j)** übersetzen

25 A. a) für **b)** für das **c)** im **d)** für ein **e)** aus **f)** in einer / in der **g)** vor der **h)** für die **i)** an einer / an der **j)** für **k)** in der **l)** am **m)** in einem / im
B a) der **b)** der **c)** der **d)** der **e)** des **f)** der
C a) in der / wo die **b)** die **c)** den **d)** den **e)** der **f)** die **g)** in dem **h)** der

26 a) die Ausstellung — der Aussteller, die Ausstellerin
b) die Begründung
c) die Beratung — der Berater, die Beraterin
d) die Bewegung
e) die Bezahlung
f) der Einkauf — der Einkäufer, die Einkäuferin
g) die Entlassung
h) die Entwicklung
i) die Erfindung — der Erfinder, die Erfinderin
j) die Herstellung — der Hersteller, die Herstellerin
k) die Kündigung
l) die Leitung — der Leiter, die Leiterin
m) die Lieferung
n) die Prüfung — der Prüfer, die Prüferin
o) der Test — der Tester, die Testerin
p) die Verantwortung
q) die Verwaltung — der Verwalter, die Verwalterin
r) die Zeichnung — der Zeichner, die Zeichnerin

27 (Futur, Präsens, Präteritum)
Was wird sein, wenn ich Meister bin, dachte er. Was wird sein?
Was wird sich im Betrieb und in meinem Leben verändern? Wird sich überhaupt etwas verändern? Warum soll sich etwas verändern? Bin ich ein Mensch, der verändern will?
Er stand unbeweglich und beobachtete nachdenklich das geschäftige Treiben auf dem Platz vor der Lagerhalle, der hundert Meter weiter unter einer brennenden Sonne lag. Die Männer dort arbeiteten ohne Hemd, ihre braunen Körper glänzten im Schweiß.
Ab und zu trank einer aus der Flasche. Ob sie Bier trinken? Oder Cola?
Was wird sein, wenn ich Meister bin? Mein Gott, was wird dann sein? Ja, ich werde mehr Geld verdienen, kann mir auch einen Wagen leisten, und die Kinder werde ich zur Oberschule schicken, wenn es soweit ist. Vorausgesetzt, sie haben genug Verstand dazu. Eine größere Wohnung werde ich bekommen von der Werksleitung, und das in der Siedlung, in der nur Angestellte der Fabrik wohnen. Vier Zimmer, Küche, Bad, Balkon, kleiner Garten – und Garage. Das ist schon etwas. Dann werde ich endlich heraus aus der Arbeitersiedlung, wo die Wände Ohren haben, wo einer dem andern in den Kochtopf guckt und der Nachbar an die Wand klopft, wenn meine Frau den Schallplattenspieler zu laut aufdreht und die Beatles laufen läßt.
Meister, werden dann hundert Arbeiter zu mir sagen – oder Herr. Oder Herr Meister oder Herr Witty. Wie sich das wohl anhört:
Herr Witty! Herr Meister! Er sprach es mehrmals laut vor sich hin.
Der Schweißer Egon Witty sah in die Sonne und auf den Platz, der unter einer brennenden Sonne lag, und er fragte

Schlüssel

sich, was die Männer mit den nackten Oberkörpern wohl <u>tranken</u>: Bier? Cola? Schön wird das sein, wenn ich erst Meister <u>bin</u>, ich werde etwas sein, denn jetzt <u>bin</u> ich nichts, nur ein Rädchen, das man <u>ersetzen kann</u>. Nicht so leicht ersetzbar aber <u>sind</u> Männer, die Räder in Bewegung <u>setzen</u> und <u>kontrollieren</u>. Ich werde in Bewegung setzen und kontrollieren, ich werde etwas sein, ich <u>werde bestimmen</u>, anordnen, von der Liste streichen, beurteilen, für gut befinden. Ich <u>werde</u> die Verantwortung <u>tragen</u>.

Lektion 4

1 **a)** 3 **b)** 1 **c)** 2

2 **a)** Er liest gerade ein Buch.
Er ist dabei, ein Buch zu lesen.
Er ist gerade dabei, ein Buch zu lesen.
b) Sie telefoniert gerade mit einem wichtigen Kunden.
Sie ist dabei, mit einem wichtigen Kunden zu telefonieren.
Sie ist gerade dabei, mit einem wichtigen Kunden zu telefonieren.

c) Ich spüle gerade das Geschirr.
Ich bin dabei, das Geschirr zu spülen.
Ich bin gerade dabei, das Geschirr zu spülen.
d) Er repariert gerade das Auto.
Er ist dabei, das Auto zu reparieren.
Er ist gerade dabei, das Auto zu reparieren.
e) Er lernt gerade für seine Prüfung.
Er ist dabei, für seine Prüfung zu lernen.
Er ist gerade dabei, für seine Prüfung zu lernen.

3 **a)** B **b)** A **c)** C **d)** C **e)** A

4 **a)** Ich habe immer die Tafel putzen müssen.
b) Wir haben nie unpünktlich sein dürfen.
c) Wenn ein Lehrer in die Klasse gekommen ist, haben wir immer aufstehen müssen.
d) Die Mathematikaufgaben habe ich nur mit Hilfe meiner Banknachbarin lösen können.
e) Ich habe eine Klasse zweimal machen müssen.
f) Ich habe eigentlich nie verstehen können, wozu die Logarithmen gut sein sollen.
g) Damals hat man noch keine Fächer wählen können.
h) Ich habe nicht studieren dürfen, mein Vater hat es nicht erlaubt.

5 **a)** starke – deutlich **b)** ordentlich **c)** sorgfältig **d)** ausgezeichneten **e)** schreckliche **f)** neue – lebendigen **g)** ideal **h)** furchtbarer **i)** regelmäßig

6 **a)** das Geschirr, die Wäsche, das Auto
b) die Zähne, das Wohnzimmer, das Kassettengerät
c) die Haare, die Füße, die Waschmaschine
d) eine Jacke, den Schmerz

7 <u>Eines Tages</u> sollten wir in Englisch mündlich geprüft werden. Die meisten von unserer Klasse waren aber nicht gut vorbereitet. <u>Da</u> hatte Dieter eine Idee. Er brachte sein Tonbandgerät mit in die Schule und nahm beim Unterrichtsbeginn die Pausenklingel auf. Vor der Englischstunde versteckte er den Lautsprecher hinter der Wandtafel. <u>Bald</u> kam Wegmann, unser Englischlehrer, in die Klasse und fing mit der Prüfung an. Wie immer prüfte er <u>zuerst</u> die besten Schüler. Aber <u>dann</u> wollte er auch mich prüfen. <u>Da</u> gab ich Dieter ein Zeichen; der schaltete sein Tonbandgerät ein, und <u>im nächsten Moment</u> klingelte es. Wegmann war sehr überrascht. Er schaute <u>zuerst</u> ungläubig auf seine Uhr. Aber <u>dann</u> glaubte er es doch und beendete die Prüfung. <u>Danach</u> gingen wir alle nach Hause, weil es die letzte Stunde war. <u>Später</u> merkte Wegmann natürlich, daß alles nur ein Trick war, und er wiederholte die Prüfung.

8 **a)** was **b)** wo **c)** wohin **d)** was **e)** was **f)** wo **g)** was

9 **a)** während / wenn **b)** wenn **c)** Als **d)** Während **e)** Wenn **f)** als **g)** während / wenn **h)** wenn **i)** während

10 **a)** 6 **b)** 9 **c)** 4 **d)** 8 **e)** 2 **f)** 5 **g)** 3 **h)** 1 **i)** 10 **j)** 7

11 **a)** Entweder – oder **b)** zwar – aber **c)** weder – noch **d)** sowohl – als auch

12 **A.** **a)** einander **b)** aneinander **c)** übereinander **d)** einander **e)** miteinander **f)** einander **g)** füreinander **h)** miteinander **i)** einander **j)** miteinander **k)** einander **l)** miteinander **m)** einander **n)** miteinander / gegeneinander **o)** einander **p)** einander **q)** einander **r)** miteinander / übereinander

B. **a)** sich übereinander **b)** sich aneinander **c)** sich aneinander **d)** sich füreinander **e)** sich umeinander **f)** sich übereinander **g)** sich voneinander

13 **a)** C **b)** A **c)** B **d)** A **e)** B **f)** C **g)** A **h)** A

14 **a)** ... welcher Planet „Abendstern" genannt wird.
b) ... wie man eine Lebensgeschichte nennt, die man selbst geschrieben hat.
c) ... wofür die olympischen Ringe stehen.
d) ... gegen welche Krankheit man Insulin verwendet.
e) ... was das Barometer anzeigt.
f) ... welcher große Maler und Naturforscher die „Mona Lisa" gemalt hat.

g) … von wem das Bild „Guernica" stammt.
h) … wie viele Knochen der menschliche Körper hat.
i) … seit wann es in Deutschland keinen Kaiser mehr gibt.
j) … wer den Bundeskanzler wählt.

15 a) … ob es seit 1914 oder seit 1918 keinen deutschen Kaiser mehr gibt.
    b) … ob „Aida" von Verdi oder von Puccini geschrieben wurde.
    c) … ob die Venus oder der Jupiter „Abendstern" genannt wird.
    d) … ob man Insulin bei Krebs oder bei Blutzucker verwendet.
    e) … ob der Bundeskanzler vom Volk oder vom Bundestag gewählt wird.
    f) … von wem die „Mona Lisa" gemalt wurde.
    g) … ob der elektrische Widerstand in Ampère oder in Ohm gemessen wird.
    h) … ob die „Zauberflöte" eine Oper oder eine Operette ist.
    i) … ob ein Barometer den Luftdruck oder die Luftfeuchtigkeit mißt.
    j) … ob Ludwig XIV. oder Ludwig XVI. „Sonnenkönig" genannt wurde.

16 a) Teilnehmer **b)** Anmeldung **c)** Fach **d)** Ahnung **e)** Start **f)** Spezialist **g)** Gegenteil **h)** Instrument

17 a) beantworten … – **b)** erfährst … – **c)** melde … an **d)** verbringt … **e)** ziehst … vor **f)** bedeutet … –
    g) erklären … – **h)** kehrt … zurück **i)** wachst … auf **j)** beginnt … – **k)** Vergleichen … – **l)** Fassen … an
    m) Verwenden … – **n)** schlafe … ein

18 a) lebendig **b)** ledig **c)** gültig **d)** salzig **e)** günstig **f)** durstig **g)** neugierig **h)** nötig **i)** traurig **j)** fertig
    k) selbständig **l)** völlig **m)** richtig **n)** langweilig **o)** sonnig **p)** wichtig **q)** berufstätig **r)** schmutzig **s)** heutigen

19. a) A **b)** A **c)** B **d)** A **e)** B **f)** B

20 a) A **b)** C **c)** A **d)** C **e)** C **f)** B

21 a) für **b)** in **c)** in **d)** an / für **e)** über **f)** zur **g)** zu **h)** für **i)** nach **j)** von **k)** auf **l)** zur **m)** auf **n)** über **o)** zu
    p) zur **q)** nach **r)** gegen / für **s)** von **t)** für **u)** über **v)** mit **w)** zwischen **x)** zwischen **y)** nach **z)** mit

22 a) Ich kann auf deutsch über meine Hobbys berichten.
    Ich weiß, wie man auf deutsch über seine Hobbys berichtet.
    Ich bin in der Lage, auf deutsch über meine Hobbys zu berichten.
    b) Ich kann auf deutsch ein Hotelzimmer reservieren.
    Ich weiß, wie man auf deutsch ein Hotelzimmer reserviert.
    Ich bin in der Lage, auf deutsch ein Hotelzimmer zu reservieren.
    c) Ich kann auf deutsch eine Geburtstagseinladung schreiben.
    Ich weiß, wie man auf deutsch eine Geburtstagseinladung schreibt.
    Ich bin in der Lage, auf deutsch eine Geburtstagseinladung zu schreiben.
    d) Ich kann auf deutsch die Bedienung eines Geräts erklären.
    Ich weiß, wie man auf deutsch die Bedienung eines Geräts erklärt.
    Ich bin in der Lage, auf deutsch die Bedienung eines Geräts zu erklären.
    e) Ich kann auf deutsch meine Meinung über einen Konflikt sagen.
    Ich weiß, wie man auf deutsch seine Meinung über einen Konflikt sagt.
    Ich bin in der Lage, auf deutsch meine Meinung über einen Konflikt zu sagen.
    f) Ich kann auf deutsch einem Mechaniker erklären, was am Auto kaputt ist.
    Ich weiß, wie man auf deutsch einem Mechaniker erklärt, was am Auto kaputt ist.
    Ich bin in der Lage, auf deutsch einem Mechaniker zu erklären, was am Auto kaputt ist.

23 a) für **b)** auf **c)** für **d)** mit **e)** über **f)** an **g)** über **h)** nach **i)** zu **j)** über **k)** zu **l)** an **m)** von **n)** mit **o)** mit
    p) auf **q)** über **r)** Gegen / Für **s)** auf **t)** von / über **u)** für **v)** über

Lektion 5

1 a) Auf dem Bild ist ein Junge zu sehen.
    b) Der Motor ist nicht zu reparieren.
    c) Dieser Fernseher ist nicht mehr zu reparieren.
    d) Hier ist kein Wort zu verstehen.
    e) Draußen ist kein Geräusch zu hören.
    f) Solche Brillen sind in diesem Geschäft nicht zu kaufen.
    g) Der Vertrag ist nicht zu kündigen.

2 a) A **b)** B **c)** A **d)** C **e)** A **f)** C

3 a) größte **b)** beste **c)** günstigsten **d)** mehr **e)** glücklichsten **f)** zufriedensten **g)** freundlicher **h)** höflicher **i)** länger
    j) schönsten **k)** bequemsten **l)** berühmtesten **m)** elegantesten **n)** frischeste **o)** haltbarsten **p)** preiswertesten
    q) spannendsten

Schlüssel

4 Freie Lösung.

5 **a)** der Zucker **b)** die Milch **c)** das Mehl **d)** die Schokolade **e)** der Fisch **f)** der Apfel **g)** die Tomate **h)** das Salz **i)** das Fleisch **j)** die Butter **k)** das Ei **l)** der Wein **m)** der Käse **n)** die Kartoffel **o)** das Eis **p)** der Kaffee **q)** der Schnaps **r)** die Marmelade

6 **a)** Die Kunden müssen mit ihren vollgepackten Einkaufswagen an der Kasse warten.
b) Die Kunden werden durch wie Licht leuchtende Obstgebirge angelockt.
c) Durch spezielles Rotlicht wirken auch dünn geschnittene Schweineschnitzel wie Gourmetware.
d) Die an der Kasse stehenden Kunden müssen lange warten.
e) In Augenhöhe liegende Waren sind meistens teuer.
f) Die Kundin fragt eine in der Gemüseabteilung arbeitende Verkäuferin.
g) Die Kunden werden durch ständig laufende Kameras kontrolliert.
h) 20 bis 35 Prozent der gekauften Lebensmittel kommen in den Mülleimer.
i) Die frühmorgens gelieferte Frischware wird sofort in die Regale gestellt.

7 **a)** die steigenden Preise, die gestiegenen Preise
b) die gekauften Lebensmittel
c) die kochende Milch, die gekochte Milch
d) das reparierte Radio
e) das parkende Auto, das geparkte Auto
f) das umgetauschte Kleid
g) das bremsende Auto
h) die geputzten Zähne
i) die gewaschenen Kleider
j) die eingepackte Ware
k) das versprochene Geld
l) die suchende Verkäuferin, die gesuchte Verkäuferin
m) das gespülte Geschirr
n) die spülende Frau
o) die wartenden Kunden
p) die rufenden Kinder, die gerufenen Kinder

8 **a)** Was ist das? — Das ist eine Wand.
Eine Wand woraus? — Aus Dosen.
Dosen gefüllt womit? — Mit Suppe.
b) Was ist das? — Das sind Gläser.
Gläser gefüllt womit? — Mit Marmelade.
Marmelade woraus? — Aus Erdbeeren.
c) Was ist das? — Das ist ein Regal.
Ein Regal wofür? — Für Produkte.
Produkte woraus? — Aus Milch.
d) Was ist das? — Das ist eine Abteilung.
Eine Abteilung wofür? — Für Fleisch.
Wie ist das Fleisch? — Frisch.
e) Was ist das? — Das ist eine Färbung.
Eine Färbung wodurch? — Durch Licht.
Wie ist das Licht? — Rot.
f) Was ist das? — Das ist eine Mauer.
Eine Mauer woraus? — Aus Tüten.
Tüten gefüllt womit? — Mit Milch.
g) Was ist das? — Das ist eine Tür.
Eine Tür wofür? — Für einen Kühlschrank.
Einen Kühlschrank wofür? — Für Getränke.

9 **a)** Gartenteichpflanzen **b)** Lederwarenabteilung **c)** Bratentopfdeckel **d)** Sommerferienbeginn **e)** Kinderskikurs **f)** Bürohochhaus **g)** Plastiktütenfabrik **h)** Kundenparkplatz

10 **a)** unteren rechten **b)** oberen linken **c)** oberen rechten **d)** unteren linken **e)** vordere rechte **f)** vordere mittlere **g)** hintere linke **h)** hintere rechte **i)** vordere linke **j)** hintere mittlere

11 **a)** → 4 **b)** → 5 **c)** → 2 **d)** → 6 **e)** → 1 **f)** → 3

12 **a)** Nimm nur, was auf deiner Einkaufsliste steht.
Nehmt nur, was auf eurer Einkaufsliste steht.
b) Kauf nur, was du wirklich brauchst.
Kauft nur, was ihr wirklich braucht.
c) Gib nicht zuviel Geld aus.
Gebt nicht zuviel Geld aus.
d) Schreib vor dem Einkaufen eine Einkaufsliste.
Schreibt vor dem Einkaufen eine Einkaufsliste.
e) Iß etwas, bevor du einkaufen gehst.
Eßt etwas, bevor ihr einkaufen geht.
f) Lies die Preise genau, bevor du etwas in den Wagen legst.
Lest die Preise genau, bevor ihr etwas in den Wagen legt.

13 a) über die **b)** worüber **c)** was **d)** die **e)** worüber **f)** was **g)** wo **h)** in denen **i)** wonach **j)** wofür **k)** an die **l)** woran

14 A) B **b)** A **c)** C **d)** B **e)** A

15 a) Ich kaufe am liebsten im Supermarkt, weil man dort eine große Auswahl hat.
Ich kaufe am liebsten im Supermarkt, denn dort hat man eine große Auswahl.
Ich kaufe am liebsten im Supermarkt. Dort hat man nämlich eine große Auswahl.
Wegen der großen Auswahl kaufe ich am liebsten im Supermarkt.
Die Auswahl im Supermarkt ist sehr groß. Deshalb kaufe ich dort am liebsten.
b) Ich kaufe am liebsten im Fachgeschäft, weil man dort gut beraten wird.
Ich kaufe am liebsten im Fachgeschäft, denn dort wird man gut beraten.
Ich kaufe am liebsten im Fachgeschäft. Dort wird man nämlich gut beraten.
Wegen der guten Beratung kaufe ich am liebsten im Fachgeschäft.
Die Beratung im Fachgeschäft ist sehr gut. Deshalb kaufe ich dort am liebsten.
c) Ich kaufe nicht gern in der Fußgängerzone, weil man dort Parkplatzprobleme hat.
Ich kaufe nicht gern in der Fußgängerzone, denn dort hat man Parkplatzprobleme.
Ich kaufe nicht gern in der Fußgängerzone. Dort hat man nämlich Parkplatzprobleme.
Wegen der Parkplatzprobleme kaufe ich nicht gern in der Fußgängerzone.
In der Fußgängerzone hat man Parkplatzprobleme. Deshalb kaufe ich dort nicht gern.

16 zu a): Ich habe keine Ahnung,
Ich frage mich,
Ich habe vergessen,
Ich weiß nicht mehr,
Ich möchte (will) wissen,

zu b): Ich nehme an,
Ich behaupte,
Ich bezweifle,
Ich denke,
Ich erinnere mich,
Ich stelle fest,
Ich fürchte,
Ich glaube,
Es scheint, / Mir scheint,
Ich bin sicher,
Ich bin überzeugt,
Ich vermute,

zu a) und b): Ich habe gehört,
Ich habe gelesen,
Es ist klar, / Mir ist klar,
Ich kann mir vorstellen,
Ich weiß,

17 a) Zinsen **b)** Staatsangehörigkeit **c)** Konto **d)** Automat **e)** Miete **f)** Scheckkarte **g)** Summe **h)** Überweisung

18 a) C **b)** B **c)** C **d)** A **e)** C

19 a) Wenn Hans das Gold nicht weggegeben hätte, wäre er ein reicher Mann gewesen.
b) Wenn Frau Schachtner den Kredit nicht genommen hätte, hätte sie das Auto nicht kaufen können.
c) Wenn Frau Kunze die Anzeige nicht gelesen hätte, hätte sie ein anderes Waschmittel genommen.
d) Wenn Herr Berlacher sich einen Einkaufszettel geschrieben hätte, hätte er das Obst nicht vergessen.
e) Wenn Herr Gaus die Küchenmaschine im Fachgeschäft gekauft hätte, hätte er mehr Auswahl gehabt.
f) Wenn Frau Lechner vorher die Preise verglichen hätte, hätte sie den Fernsehapparat billiger bekommen.
g) Wenn Herr Zander keine Versicherung gehabt hätte, hätte er den Schaden selbst bezahlen müssen.
h) Wenn Frau Simmet zum Supermarkt gefahren wäre, hätte sie sofort einen Parkplatz gefunden.

20 a) 3 **b)** 4 **c)** 6 **d)** 1 **e)** 2 **f)** 5

21 a) Schuh **b)** Fleisch **c)** Medizin **d)** Salat **e)** Angst **f)** Wurst **g)** Polizist **h)** Haus **i)** Arbeitszeit

22 a) E **b)** E **c)** B **d)** E **e)** D

23 a) 5 **b)** 4 **c)** 2 **d)** 3 **e)** 1

24 Lösungsvorschlag:
(Adresse)   (Datum)

Sehr geehrte Damen und Herren,

vor acht Monaten habe ich beim Eisenwarengeschäft Stephens in Münster diese Bohrmaschine gekauft. Zuerst funktionierte sie sehr gut, aber jetzt ist etwas daran kaputt. Sie läuft unregelmäßig und nicht mehr schnell genug. Ich bin sicher, daß ich nichts falsch gemacht habe. Ich habe die Bedienungsvorschriften immer genau beachtet. Ich bitte Sie um eine kostenlose Reparatur. Bitte schicken Sie die Maschine so schnell wie möglich zurück, weil ich sie dringend brauche. Die Garantiekarte und der Kassenzettel liegen diesem Brief bei.

Mit freundlichen Grüßen
(Unterschrift)

Schlüssel

25 A. Waagerecht:
    2 KÜHLSCHRANK **5** HANDTUCH **7** STREICHHOLZ **9** SESSEL **11** TELLER **13** LÖFFEL
    14 TASCHENTUCH **15** SEIFE **16** KLEIDERBÜGEL **18** FOTOAPPARAT **21** KOFFER **22** POSTKARTE
    23 SCHERE **24** WECKER
Senkrecht:
    1 RASIERKLINGE **3** SCHIRM **4** STAUBSAUGER **6** BALL **7** SCHLÜSSEL **8** KALENDER **10** PFLASTER
    12 SCHALLPLATTE **14** THERMOMETER **17** BLEISTIFT **19** TEPPICH **20** HAMMER

  B. die: Seife, Postkarte, Schere, Rasierklinge, Schallplatte;
     das: Handtuch, Streichholz, Taschentuch, Pflaster, Thermometer
     alle anderen: der

Lektion 6

1   **a)** Könnte ich bitte mit Frau Jasper sprechen?
    b) Würdest du mir bei meinem Umzug helfen?
    c) Würden Sie mir bitte den Zucker geben?
    d) Hätten Sie heute nachmittag Zeit?
    e) Ginge das? / Würde das gehen?
    f) Ich würde lieber mit Herrn Kastor persönlich sprechen. / Ich spräche lieber …
    g) Würden Sie ein Glas Wein mit mir trinken?
    h) Dürfte ich hier rauchen?
    i) Sie müßten nächste Woche noch einmal kommen.
    j) Wäre es möglich, daß Sie mich morgen anrufen?
    k) Würden Sie bitte einen Moment warten?
    l) Würde es Ihnen morgen um vier Uhr passen?
    m) Dürfte ich dich um einen Gefallen bitten?
    n) Du müßtest mit Frau Sabitz über das Problem sprechen.
    o) Könnten Sie mir bitte Ihren Namen sagen?
    p) Wäre es Ihnen recht, wenn ich morgen um acht Uhr käme?

2   **a)** 4 **b)** 6 **c)** 1 **d)** 2 **e)** 3 **f)** 5

3   **a)** B **b)** B **c)** A **d)** B **e)** B **f)** A **g)** B **h)** A **i)** B **j)** B

4   **a)** D **b)** C **c)** C **d)** D **e)** A **f)** C

5   **a)** Sie sagt, sie arbeite schon über dreißig Jahre auf dem Markt.
    b) Der Polizist meint, das „Du" sei eine Beleidigung.
    c) Sie behauptet, auf dem Land sage jeder zu jedem „Du".
    d) Sie argumentiert, man sage auch zum Herrgott „Du".
    e) Sie hat erzählt, sie müsse unbedingt drei Tische haben.
    f) Sie erzählte, sie habe früher jeden Tag auf dem Wochenmarkt gearbeitet.
    g) Sie sagt, sie könne drei Fremdsprachen sprechen.
    h) Sie sagt, sie habe drei Fremdsprachen gelernt.
    i) Der Polizist sagte ihr, sie dürfe nur einen Tisch aufbauen.
    j) Dem Richter sagte sie, sie komme vom Land.
    k) Dem Richter sagte sie, sie habe auf dem Land gewohnt.
    l) Dem Richter erklärte sie, sie meine das „Du" nicht böse.
    m) Dem Richter erklärte sie, sie habe das „Du" nicht böse gemeint.
    n) Sie sagte, sie spreche in Zukunft jeden Polizisten mit „Sie" an.
    o) Sie sagte, sie werde in Zukunft jeden Polizisten mit „Sie" ansprechen.

6

ich	gehe	ginge	will	wolle	habe	hätte	bin	sei
du	gehst	gingest	willst	wolltest	hast	hättest	bist	seist
er / sie / es / man	geht	gehe	will	wolle	hat	habe	ist	sei
wir	gehen	gingen	wollen	wollten	haben	hätten	sind	seien
ihr	geht	gingt	wollt	wolltet	habt	hättet	seid	seiet
sie / Sie	gehen	gingen	wollen	wollten	haben	hätten	sind	seien

7   **a)** Schüler werden von den Lehrern gesiezt, wenn sie sechzehn Jahre alt sind.
    b) Wenn man befreundet oder gut miteinander bekannt ist, sagt man „Du" zueinander.
    c) Weil die Marktfrau den Polizisten duzte, mußte sie 2250 Mark Geldstrafe bezahlen.
    d) Die Marktfrau hat den Polizisten geduzt, obwohl er es nicht wollte.
    e) Weil die Marktfrau nicht sagen wollte, wieviel sie verdient, wurde ihr Einkommen geschätzt.
    f) Obwohl nur ein Tisch erlaubt war, baute die Marktfrau drei Tische auf.
    g) Man benutzt den Vornamen, wenn man sich duzt.

Schlüssel

8 Richtig: b), e), f), g)

9 **a)** 3 **b)** 1 **c)** 2 **d)** 3 **e)** 3 **f)** 1 **g)** 2 **h)** 2 **i)** 3 **j)** 1

10 **a)** Bitte hilf mir, den Koffer zu tragen.
Würdest du mir bitte helfen, den Koffer zu tragen?
b) Machen Sie mir doch bitte einen Kaffee!
Könnten Sie mir bitte einen Kaffee machen?
c) Gibst du mir bitte Feuer?
Würdest du mir Feuer geben?
d) Komm doch mal her!
Kannst du mal herkommen?
e) Bitte machen Sie den Fernseher aus!
Würden Sie bitte den Fernseher ausmachen?
f) Rufst du mich morgen an?
Du könntest mich morgen anrufen.

11 1 Januar   5 Mai   9 September   I Frühling
2 Februar   6 Juni   10 Oktober   II Sommer
3 März   7 Juli   11 November   III Herbst
4 April   8 August   12 Dezember   IV Winter

12

1	2	3	4	5	6	7	8	9
F	C	H	I	D	E	B	A	G

13 **a)** Es war das erste Mal   **g)** es geht ihm ganz gut
b) Es war sehr heiß   **h)** Es wurde den ganzen Abend getanzt
c) es wird Zeit   **i)** Es ist schön
d) Es dauert nur ein paar Minuten   **j)** Ich habe es eilig
e) Es gibt   **k)** es klappt
f) Es stimmt nicht   **l)** es ist so laut

14 **a)** Es **b)** – **c)** Es **d)** – **e)** Es, es **f)** – **g)** es **h)** Es **i)** – **j)** es **k)** –

15 **a)** … daß ihr altes Auto es doch geschafft habe.
b) … daß ihr altes Auto an allen Ecken und Enden klappere, aber daß es doch fahre.
c) … daß sie das letzte Mal mit dem Auto in den Urlaub führen. / … fahren würden.
d) … daß sie das nächste Mal mit der Bahn fahren wollten.
e) … daß es auf der Autobahn viele Staus gegeben habe.
f) … daß sie das nächste Mal mit dem Zug führen. / … fahren würden.
g) … daß die Autofahrt wirklich schlimm gewesen sei.
h) … daß sie stundenlang auf der Autobahn gestanden hätten.
i) … daß sie seit zwei Wochen in Ampuriabrava seien.
j) … daß sie schon baden könnten, obwohl es noch Frühling sei.
k) … daß sie und Hans jeden Tag zum Baden gingen. / … gehen würden.
l) … daß es überall blühe, und daß er nach Blumen dufte.
m) … daß ihr der Urlaub sehr gut gefalle.
n) … daß es ihnen sehr gut gehe.
o) … daß sie sehr glücklich sei, und Hans auch, aber daß er es nicht sage.
p) … daß sie heute abend bei ihren Nachbarn eingeladen seien.
q) … daß sie nächste Woche zurückkomme.
r) … daß sie nächste Woche leider schon zurückfahren müßten.

16 **a)** Halbpension **b)** Jahreszeit **c)** Nachricht **d)** Absender **e)** Gruß **f)** Prospekt **g)** Reservierung **h)** Schreiben
i) Neuigkeit

17 Lösungsvorschlag:
a) schlimm **b)** ekelhaft **c)** schrecklichen / furchtbaren / entsetzlichen **d)** unerträglich **e)** unerträglichen
f) schrecklich / furchtbar / entsetzlich **g)** ekelhaft **h)** schlimme / scheußliche **i)** schlimmen / scheußlichen

18 Lösungsvorschläge:
a) Liebe Mutti, lieber Vati,
herzliche Feriengrüße aus … Wir sind hier in einem ausgezeichneten Hotel direkt am Meer. Es ist sehr heiß, nur gestern hat es geregnet. Wir schwimmen und tauchen jeden Tag im Meer, und abends gehen wir in der kleinen Stadt spazieren. Man kann hier phantastische Fischgerichte essen! Gestern waren wir in einem kleinen Museum, und heute abend wollen wir in die Disco.
Ihr seht also, es geht uns ganz gut. Nächste Woche am Freitag kommen wir wieder nach Hause.
Herzliche Grüße von Eurer …

Schlüssel

b) Liebe Hanna,

ganz herzliche Grüße aus dem Winterurlaub. Ich bin hier mit ein paar Bekannten in den Bergen. Wir haben eine sehr gemütliche Ferienwohnung gemietet. Jeden Tag fahren wir Ski, von zehn Uhr bis zum Nachmittag. Bis jetzt war das Wetter leider nicht so gut, wir hatten Nebel, und vor drei Tagen hat es den ganzen Tag geschneit. Aber heute scheint endlich die Sonne, da macht das Skifahren so richtig Spaß. Es ist allerdings immer noch sehr kalt. Du siehst also, es geht mir ganz prima. Die Landschaft ist einmalig, die Berge sind wirklich beeindruckend. Nur schade, daß Du nicht dabei bist! Jedenfalls wünsche ich Dir viel Glück für die Prüfung nächste Woche. Mach's gut, alles Liebe und bis bald!
Deine ...

c) Liebe Frau Schröder, lieber Herr Schröder,

herzliche Urlaubsgrüße aus Rom. Wir sind für eine Woche hier und genießen diese herrliche Stadt. Es gibt so viele Sehenswürdigkeiten, daß man gar nicht alles anschauen kann. Wir waren schon in vier Museen, im Vatikan und auf dem Forum, und wir haben schon mindestens ein Dutzend wunderbare Kirchen gesehen. Unser Hotel ist sehr ruhig, obwohl es fast in der Stadtmitte liegt, der Service ist gut und das Essen ausgezeichnet. Aber natürlich essen wir meistens nicht im Hotel, sondern suchen uns ein gemütliches Restaurant.
Am Sonntag sind wir wieder zurück. Bis dann!
Herzliche Grüße von
... und ...

19 a) fuhr **b)** blieb **c)** hörte **d)** versuchte **e)** schaffte **f)** wurde **g)** jagte **h)** holte – ab **i)** starb **j)** lebte **k)** war **l)** mußte **m)** ankam **n)** wurde **o)** warteten **p)** beugten **q)** sagte

20 a) Die Ministerpräsidentin ist bei den Wählerinnen und Wählern sehr beliebt.
   b) Unsere Universität hat etwa 3500 Studentinnen und Studenten.
   c) Die Ausstellung hatte in dieser Woche viele Besucherinnen und Besucher.
   d) Die Bürgerinnen und Bürger von Hochheim trafen sich auf dem Marktplatz.

21 a) B **b)** B **c)** A **d)** A **e)** B **f)** B

22 a) nach einem / dem / der / einem   **d)** an das / das / meinen / die   **g)** mit ihrem / der / meinem / dem   **k)** über die / seinen / das / den

   b) mit einem / einer / dem / dem   **e)** um ein / ein / einen / eine   **h)** nach dem   **l)** für das / die / den

   i) an den / die / unseren

   c) zum / zu meiner / einer / einer   **f)** für das / seine / die / den   **j)** über das / die / den / das

Lektion 7

1 Advent: a), j)   Nikolaustag: f), m)   Weihnachten: g), l)   Silvester: b), e)   Heilige Drei Könige: c), i)   Fasching: d), n) Ostern: h), k)

2 **a)** 5 **b)** 2 **c)** 1 **d)** 6 **e)** 3 **f)** 4

3 **a)** Am – vor **b)** in – in **c)** vom – bis zum **d)** am – vor **e)** zwischen **f)** vom – bis zum **g)** In – zwischen – um

4 **a)** Am ersten Sonntag wird die erste Kerze angezündet.
   b) Am Heiligen Abend wird der Tannenbaum geschmückt.
   c) In Deutschland wird das neue Jahr laut und lustig gefeiert.
   d) Am Silvesterabend werden Gäste zu einer Feier eingeladen.
   e) Um Mitternacht wird auf der Straße ein privates Feuerwerk veranstaltet.
   f) In Basel, Mainz, Köln und Düsseldorf wird der Fasching besonders schön und intensiv gefeiert.
   g) Zu Ostern werden gekochte Eier bemalt.
   h) Für die Kinder werden im Garten Süßigkeiten und kleine Geschenke versteckt.

5 Freie Lösung.

6 **a)** Geburt **b)** König **c)** Ostern **d)** Fabrik **e)** Fest **f)** Himmel **g)** Kalender **h)** Schmuck **i)** Stern **j)** Tat **k)** Neujahr

7 **a)** C **b)** A **c)** C **d)** A **e)** A **f)** C

8 **a)** dir **b)** ihr **c)** mir **d)** uns **e)** euch **f)** Ihnen **g)** ihm **h)** ihnen

9 **a)** Küchenwaage **b)** Kochbuch **c)** Spülmaschine **d)** Spüle **e)** Backofen **f)** Kühlschrank **g)** Mikrowelle **h)** Geschirrtuch **i)** Küchenuhr **j)** Herd **k)** Abfalleimer **l)** Bratpfanne

10 **a)** im **b)** in den **c)** im **d)** in den **e)** neben die – auf den **f)** neben der – auf dem **g)** auf den **h)** auf dem **i)** unter den **j)** unter dem **k)** an der **l)** an die **m)** über die **n)** vor die – auf die

11 **a)** gewaschenen – abgetrockneten **b)** gesalzene – gefüllte **c)** geschnittenen – zerdrückten **d)** versteckten **e)** geschmückten **f)** gestellten

12 **a)** A **b)** C **c)** C **d)** C **e)** A **f)** B

13 **a)** In Deutschland ist es üblich, den Gastgebern ein kleines Geschenk mitzubringen.
..., daß man den Gastgebern ein kleines Geschenk mitbringt.
b) In Deutschland ist es üblich, eine Heirat durch eine Zeitungsanzeige bekanntzugeben.
..., daß man eine Heirat durch eine Zeitungsanzeige bekanntgibt.
c) In Deutschland ist es üblich, auch bei Freunden einen Besuch vorher anzumelden.
..., daß man auch bei Freunden einen Besuch vorher anmeldet.
d) In Deutschland ist es üblich, auch nach dem Essen noch Alkohol zu trinken.
..., daß man auch nach dem Essen noch Alkohol trinkt.
e) In Deutschland ist es üblich, auch bei Einladungen von Freunden pünktlich zu sein.
..., daß man auch bei Einladungen von Freunden pünktlich ist.
f) In Deutschland ist es üblich, neuen Gästen das Haus oder die Wohnung zu zeigen.
..., daß man neuen Gästen das Haus oder die Wohnung zeigt.
g) In Deutschland ist es üblich, alle Gäste zu einer Hochzeit persönlich einzuladen.
..., daß man alle Gäste zu einer Hochzeit persönlich einlädt.
h) In Deutschland ist es üblich, nur seinen Geburtstag und nicht seinen Namenstag zu feiern.
..., daß man nur seinen Geburtstag und nicht seinen Namenstag feiert.
i) In Deutschland ist es üblich, abends nicht später als um zwanzig Uhr zu essen.
..., daß man abends nicht später als um zwanzig Uhr ißt.

14 **a)** D **b)** C **c)** B **d)** C **e)** D **f)** C

15 **a)** 4 **b)** 7 **c)** 1 **d)** 2 **e)** 8 **f)** 5 **g)** 3 **h)** 6

16 **a)** aufräumen **b)** sorgt **c)** unterbrechen **d)** geläutet **e)** vorbeikommen **f)** klappt **g)** begegnet **h)** bade **i)** stimmt

17 **a)** Wer zu spät kommt, sollte sich entschuldigen und sagen, warum er nicht früher kommen konnte.
b) Wer Blumen mitbringt, kann fast nichts falsch machen.
c) Wer einer Frau rote Rosen schenkt, zeigt damit, daß er sie liebt.
d) Wer für den Nachmittag eingeladen ist, sollte nicht bis zum Abendessen bleiben.
e) Wer absolut pünktlich kommt, kommt vielleicht zu früh.
f) Wer unerwartet Kinder oder Freunde mitbringt, verärgert vielleicht seine Gastgeber.
g) Wer nicht passend gekleidet ist, stört eventuell die anderen Gäste.
h) Wer will, kann statt Blumen auch eine Flasche Wein mitbringen.
i) Wer bis lange nach Mitternacht bleibt, wird vielleicht das nächste Mal nicht mehr eingeladen.
j) Wer Blumen mit dem Papier schenkt, zeigt damit, daß er die Regeln für Einladungen nicht beherrscht.

18 Trennbarer Verbzusatz vorn

Infinitiv	„Er ...“	„zu“ + Infinitiv	Partizip II
aufmachen	macht ... auf	aufzumachen	hat aufgemacht
aufbewahren	bewahrt ... auf	aufzubewahren	hat aufbewahrt
sich vorstellen	stellt sich ... vor	sich vorzustellen	hat sich vorgestellt
sich vorbereiten	bereitet sich ... vor	sich vorzubereiten	hat sich vorbereitet

Untrennbarer Verbzusatz vorn

Infinitiv	„Er ...“	„zu“ + Infinitiv	Partizip II
ablegen	legt ... ab	abzulegen	hat abgelegt
sich verabreden	verabredet sich	sich zu verabreden	hat sich verabredet
sich verabschieden	verabschiedet sich	sich zu verabschieden	hat sich verabschiedet
anstoßen	stößt ... an	anzustoßen	hat angestoßen
beantragen	beantragt	zu beantragen	hat beantragt
zurückkehren	kehrt ... zurück	zurückzukehren	ist zurückgekehrt
berücksichtigen	berücksichtigt	zu berücksichtigen	hat berücksichtigt

19 **a)** lädst – ein **b)** bekommen **c)** bringt – mit **d)** verstehe **e)** packen – ein **f)** Erkennst **g)** Begießen **h)** Drehen – um **i)** kommen – herein **j)** Verabrede **k)** räumt – auf **l)** Zieh – um **m)** Halten – an **n)** erzählt **o)** berühren **p)** fallen – ein **q)** unterbricht **r)** schenk – ein

20 **a)** Irgendwo **b)** Irgendwas **c)** irgendwer **d)** irgendwie **e)** irgendwohin **f)** irgendwann

Schlüssel

21 a) jeden **b)** jeden **c)** jeden **d)** jedes **e)** jedes **f)** jedem **g)** Jeder – jeder **h)** jede **i)** Jeder **j)** Jede **k)** jeder

22 a) B **b)** A **c)** A **d)** B **e)** C

23 a) Die Gäste müssen eingeladen werden.
b) Die Einladungskarten müssen geschrieben werden.
c) Ein Menü muß ausgewählt werden.
d) Lebensmittel und Getränke müssen gekauft werden.
e) Das Essen muß gekocht werden.
f) Die Küche muß aufgeräumt werden.
g) Das Geschirr muß abgewaschen werden.
h) Der Tisch muß gedeckt werden.
i) Die Getränke müssen in den Kühlschrank gestellt werden.
j) Die Gäste müssen begrüßt werden.
k) Die Gäste müssen gefragt werden, was sie trinken wollen.
l) Das Essen muß serviert werden.

24 a) schneiden, kaufen, gießen, schicken, pflücken
b) kämmen, schneiden, waschen
c) betreten, gießen, überqueren
d) essen, schneiden, backen, kaufen
e) parken, fahren, reparieren, waschen, kaufen, abschleppen, anmelden
f) essen, kochen, kaufen
g) reparieren, packen, kaufen, schicken, tragen
h) einladen, besuchen, begrüßen, anrufen
i) übersetzen, lesen, schreiben, schicken

Lektion 8

1 Lösungsvorschlag:
Etwa um zehn Uhr wachte ich auf. Aber ich wollte noch nicht aufstehen. Ich kochte nur schnell Kaffee und sah nach, ob Post im Briefkasten war. Aber da waren nur die Zeitung und ein paar Werbeprospekte.
Dann ging ich wieder ins Bett, trank meinen Kaffee und las die Zeitung. Erst gegen Mittag stand ich auf. Ich nahm ein Bad und hörte dabei eine CD von Udo Lindenberg. Zum Mittagessen ging ich in ein Restaurant. Danach machte ich einen kleinen Spaziergang.
Am Nachmittag schaute ich mir zuerst eine Sportsendung im Fernsehen an. Dann ging ich in den Garten, um die Blumen zu gießen. Nachher setzte ich mich an den Küchentisch und schrieb einen Brief.
Gerade als ich fertig war, bekam ich überraschend Besuch von einem Freund. Wir aßen gemeinsam zu Abend und spielten danach Karten. Wir spielten ziemlich lange, dann verabschiedete er sich von mir. Etwa um halb zwölf legte ich mich ins Bett und schlief gleich ein.

2 Freie Lösung.

3 a) anzünden **b)** reparieren **c)** atmen **d)** ausruhen **e)** riechen **f)** hören **g)** blühen **h)** klettern **i)** lügen

4 a) 16.15 **b)** 9.30 **c)** 19.45 **d)** 4.35 **e)** 13.50 **f)** 20.40 **g)** 6.35 **h)** 23.00 **i)** 11.45 **j)** 24.00 / 0.00

5 a) 5 **b)** 7 **c)** 1 **d)** 6 **e)** 2 **f)** 4 **g)** 3

6 A. a) Gestern abend **b)** dabei **c)** Zuerst **d)** dann **e)** heute morgen **f)** Da **g)** Danach **h)** Jetzt
B. a) heute morgen **b)** Da **c)** Zuerst **d)** Dann **e)** danach **f)** dann

7 a) Ich bin in einen Lift eingestiegen.
b) Plötzlich ist von hinten ein Auto gekommen.
c) Keiner hat gewußt, was eigentlich los war. (... los gewesen ist.)
d) Ich bin von der Leiter gefallen.
e) Das Auto hat mich angefahren.
f) Dann bin ich zu Fuß zur nächsten Haltestelle gegangen.
g) Als es passiert ist, habe ich gerade die Zeitung gelesen.
h) Ich habe nicht an meinen Termin gedacht.
i) Nach dem Unfall ist Benzin aus dem Tank gelaufen.
j) Am Bahnhof habe ich dann ein Taxi genommen.

8 a) Die Wohnung muß geputzt werden.
b) Das Kinderzimmer muß aufgeräumt werden.
c) Die Wäsche muß gewaschen werden.
d) Die Lampe im Flur muß repariert werden.
e) Die Wäsche muß gebügelt werden.
f) Die Kinder müssen aus der Schule geholt werden.
g) Das Geschirr muß abgewaschen werden.
h) Die Schuhe müssen geputzt werden.
i) Die Vorhänge müssen in die Reinigung gebracht werden.

9 a) C **b)** B **c)** A **d)** B **e)** C

10 a) zu weit unten – zu weit links – weiter oben – weiter rechts
b) zu nahe beisammen – weiter auseinander
c) zu nahe bei – zu weit beim – weiter entfernt von
d) horizontal – vertikal
e) zu weit unten – näher beim
f) über – darunter – zwischen
g) zu weit rechts – weiter links
h) zu weit entfernt von – zu weit auseinander – näher bei – näher beisammen

11 a) Umschaltknopf **b)** Stopptaste **c)** Ladevorgang **d)** Anzeigefeld **e)** Geschirrspülmaschine **f)** Waschmaschine
g) Backofen **h)** Duschkabine **i)** Hörgerät **j)** Schieberegler **k)** Leselampe **l)** Meßgerät **m)** Rechner **n)** Schalter
o) Regler **p)** Wäschetrockner **q)** Kopierer **r)** Hersteller **s)** Prüfer **t)** Anrufer **u)** Fahrer

12 a) Zuerst müssen Sie die richtige Filmempfindlichkeit einstellen.
Zuerst muß die richtige Filmempfindlichkeit eingestellt werden.
Zuerst ist die richtige Filmempfindlichkeit einzustellen.
Stellen Sie zuerst die richtige Filmempfindlichkeit ein.
  b) Zuerst müssen Sie die Klappe des Mobilteils öffnen.
Zuerst muß die Klappe des Mobilteils geöffnet werden.
Zuerst ist die Klappe des Mobilteils zu öffnen.
Öffnen Sie zuerst die Klappe des Mobilteils.
  c) Dann müssen Sie die Wahlwiederholtaste drücken.
Dann muß die Wahlwiederholtaste gedrückt werden.
Dann ist die Wahlwiederholtaste zu drücken.
Drücken Sie dann die Wahlwiederholtaste.
  d) Zum Schluß müssen Sie die Klappe schließen.
Zum Schluß muß die Klappe geschlossen werden.
Zum Schluß ist die Klappe zu schließen.
Schließen Sie zum Schluß die Klappe.

13 a) rausnehmen, herausnehmen
  b) reinstecken, hineinstecken
  c) aufklappen
  d) abnehmen
  e) zuklappen, runterklappen
  f) runterdrücken, herunterdrücken
  g) zusammenstecken
  h) raufziehen, hinaufziehen, hochziehen

14 a) durch b) ab c) heraus / raus d) aus e) vor f) zusammen g) mit h) weiter i) hinauf / rauf j) weg k) hinunter / runter

15 a) aus der b) der c) des / für d) im e) über die / den / den f) durch das g) für h) des i) unter j) mit

16 a) Ohne Kraftwerke gäbe es keine elektrischen Geräte, und man müßte auch schwere Arbeiten von Hand machen.
  b) Ohne den Buchdruck könnte man neues Wissen nicht so leicht an andere Personen weitergeben.
  c) Ohne das Auto und die Eisenbahn müßte man zu Fuß gehen oder mit dem Fahrrad fahren.
  d) Ohne das Mikroskop hätte man die Ursache vieler Krankheiten nicht erkannt.
  e) Ohne das Penizillin würden viele Menschen jung sterben.
  f) Ohne Satelliten im Weltraum müßte man die Kontinente durch Telefonkabel verbinden.
  g) Ohne die Fotografie wüßten die meisten Leute viel weniger genau, wie die Welt aussieht.
  h) Ohne Fernsehen und Radio wäre man schlechter informiert.

17 a) 3 b) 7 c) 1 d) 6 e) 2 f) 5 g) 4

18 a) Zum Kaffeekochen braucht man eine Kaffeemaschine.
Um Kaffee zu kochen, braucht man eine Kaffeemaschine.
  b) Zum Kühlen von Lebensmitteln braucht man einen Kühlschrank.
Um Lebensmittel zu kühlen, braucht man einen Kühlschrank.
  c) Zum Waschen von Wäsche braucht man eine Waschmaschine.
Um Wäsche zu waschen, braucht man eine Waschmaschine.
  d) Zum Spülen von Geschirr braucht man eine Spüle oder eine Spülmaschine.
Um Geschirr zu spülen, braucht man eine Spüle oder eine Spülmaschine.
  e) Zum Duschen braucht man warmes Wasser.
Um zu duschen, braucht man warmes Wasser.
  f) Zum Saubermachen braucht man Reinigungsgeräte und Putzmittel.
Um sauberzumachen, braucht man Reinigungsgeräte und Putzmittel.
  g) Zum Aufräumen braucht man Lust und Geduld.
Um aufzuräumen, braucht man Lust und Geduld.
  h) Zum Braten von Eiern braucht man eine Pfanne.
Um Eier zu braten, braucht man eine Pfanne.

19 a) Nora meint, zuerst finde man neue Erfindungen meistens gut, aber später merke man oft, daß die Natur zerstört werde.
  b) Konrad meint, das Auto verschmutze die Luft, aber wir könnten trotzdem nicht darauf verzichten.
  c) Gerd meint, die Sprays mit FCKW seien sehr praktisch gewesen, aber wir hätten damit die Ozonschicht kaputtgemacht.
  d) Jens meint, man müsse Produkte entwickeln, deren Produktion wenig Energie verbrauche.
  e) Andrea meint, die Technik sei gut für die Industrie, aber man müsse aufpassen, daß sie den Menschen nicht ihre Arbeitsplätze wegnehme.
  f) Uwe meint, das Auto sei bequem, aber es produziere CO_2, das Gift sei für unseren Wald. / ... das Gift ist für unseren Wald.
  g) Renate meint, durch die moderne Kommunikationstechnik erhalte man schnell neue Informationen.
  h) Wolfgang meint, die Kernenergie spare Rohstoffe, aber sie sei eine Gefahr für unsere Sicherheit.
  i) Anne meint, die Industrie brauche Chemiestoffe. Es müsse aber dafür gesorgt werden, daß unser Wasser nicht durch Chemie vergiftet werde. / ... vergiftet wird.

20 a) auf die, die, die b) mit der, der, dem c) zur, zu Ihrer, deiner d) um deine, das, seinen e) über die, die, das
  f) nach, nach der, der g) auf, auf den, den h) zu den, diesem, deinem

Schlüssel

21 **a)** Zigarre **b)** Inflation **c)** Teppich **d)** Strom **e)** Öffnungszeiten **f)** Rest **g)** Scheibe **h)** Luft **i)** Speck **j)** Mal **k)** Quadratmeter **l)** Wirkung **m)** Gewicht **n)** Führung **o)** Vortrag

Lektion 9

1 Die Sätze d), e), h) und k) stimmen nicht mit dem überein, was in den Kurztexten steht.

2 **a)** 3 **b)** 7 **c)** 5 **d)** 2 **e)** 1 **f)** 6 **g)** 4

3 **a)** Nazi **b)** Ziel **c)** Schriftsteller **d)** Mehrheit **e)** Weltkrieg **f)** Protest **g)** Opposition **h)** Regierung **i)** Journalist **j)** Osten **k)** Titel **l)** Künstler

4 **a)** brauchte – **b)** bestätigte – **c)** gehört hatte **d)** kritisierten – **e)** geändert worden war **f)** geflüchtet waren **g)** schloß – **h)** baute – **i)** gelebt hatten **j)** geflohen waren **k)** geöffnet wurde – **l)** hatten – **m)** verloren hatten **n)** demonstriert hatten **o)** machten – **p)** wurden – **q)** gab – **r)** war gewesen / war – **s)** bekommen hatte **t)** eingeführt worden war **u)** lohnte – **v)** hatte getauscht **w)** hatte – (/ gehabt hatte) **x)** begann – **y)** hatte geachtet **z)** entstanden – / entstanden waren

5

	hören	fliehen	entlassen werden
ich	*hörte* *habe gehört* *hatte gehört*	*floh* *bin geflohen* *war geflohen*	*wurde entlassen* *bin entlassen worden* *war entlassen worden*
du	*hörtest* *hast gehört* *hattest gehört*	*flohst* *bist geflohen* *warst geflohen*	*wurdest entlassen* *bist entlassen worden* *warst entlassen worden*
er / sie / es / man	*hörte* *hat gehört* *hatte gehört*	*floh* *ist geflohen* *war geflohen*	*wurde entlassen* *ist entlassen worden* *war entlassen worden*
wir	*hörten* *haben gehört* *hatten gehört*	*flohen* *sind geflohen* *waren geflohen*	*wurden entlassen* *sind entlassen worden* *waren entlassen worden*
ihr	*hörtet* *habt gehört* *hattet gehört*	*flohet* *seid geflohen* *wart geflohen*	*wurdet entlassen* *seid entlassen worden* *wart entlassen worden*
sie / Sie	*hörten* *haben gehört* *hatten gehört*	*flohen* *sind geflohen* *waren geflohen*	*wurden entlassen* *sind entlassen worden* *waren entlassen worden*

6 **a)** Einen Tag nach Kriegsende. **b)** Auf dem Tisch. **c)** Auf einem viel zu kurzen Sofa. **d)** Etwas zu trinken und ein Stück Brot. **e)** Im Kinderwagen. **f)** Schlange stehen. **g)** Aus alten Zuckersäcken. **h)** In den Gelenken, vor allem in den Kniegelenken.

7 **a)** A und B **b)** A und C **c)** A und C **d)** B und C **e)** A und B **f)** A und C

8 **a)** warum **b)** wann **c)** was **d)** wie **e)** wohin **f)** welcher **g)** wo **h)** wer

9 **a)** 4 **b)** 5 **c)** 1 **d)** 2 **e)** 3

10 **a)** Maria meint, man könne aus der Geschichte viel lernen.
Maria meint, daß man aus der Geschichte viel lernen könne.
b) Kurt meint, man solle sich nicht mit alten Sachen beschäftigen, die schon lange vergessen seien. / ... sind.
Kurt meint, daß man sich nicht mit alten Sachen beschäftigen solle, die schon lange vergessen seien. / ... sind.
c) Babsi meint, Geschichte sei spannend, weil sie voller Zufälle sei.
Babsi meint, daß Geschichte spannend sei, weil sie voller Zufälle sei.
d) Nicole meint, die Menschen hätten aus ihrer Geschichte nichts gelernt.
Nicole meint, daß die Menschen aus ihrer Geschichte nichts gelernt hätten.
e) Werner meint, die Geschichtswissenschaft solle sich auch für das Leben der normalen Menschen interessieren.
Werner meint, daß die Geschichtswissenschaft sich auch für das Leben der normalen Menschen interessieren solle.
f) Thomas meint, man müsse sich mit Geschichte beschäftigen, weil sie zu unserem Leben gehöre.
Thomas meint, daß man sich mit Geschichte beschäftigen müsse, weil sie zu unserem Leben gehöre.
g) Astrid meint, aus der Geschichte könne man erklären, warum das Leben heute so ist und nicht anders.
Astrid meint, daß man aus der Geschichte erklären könne, warum das Leben heute so ist und nicht anders.

11 Freie Lösung.

12 **a)** Im Durchschnitt sind die Ausgaben eines Theaters fünfmal so groß wie die Einnahmen.
b) Eines der berühmtesten Museen in Deutschland ist das Deutsche Museum in München.
c) Musikfestspiele sind Höhepunkte im Kulturleben einer Stadt.
d) Zu keiner Zeit hat es so viele Musikhörer gegeben wie heute.
e) Etwa 80 Prozent aller Kinobesucher sind zwischen 14 und 29 Jahre alt.
f) Am berühmtesten sind zur Zeit wohl das Hamburger und das Stuttgarter Ballett.

13 **a)** nichts Schlimmes **b)** etwas Schlimmes **c)** nichts Neues **d)** etwas Kaltes **e)** etwas Billigeres **f)** nichts Interessantes **g)** nichts Besseres **h)** etwas Schönes **i)** nichts Scharfes **j)** etwas Spannendes

14 **a)** C **b)** B **c)** D **d)** A **e)** D **f)** A

15 **a)** für die, die, die **b)** mit, mit dem, einer **c)** über den, ihre, die; von dem, der, der **d)** bei der, unserem, einem **e)** zum, zur, zur **f)** von, von einer, der **g)** um die, das, den **h)** aus der, der, der **i)** von, von deinem, von deiner **j)** über die, den, eure **k)** von, vom, von **l)** über die, seine, seine; von der, seinen, seinen

16 **a)** fast **b)** erst **c)** allerdings **d)** ebenfalls **e)** schon **f)** schließlich **g)** immer **h)** jedenfalls **i)** fast

17 **a)** war **b)** hätte – hätte **c)** hatte **d)** hatte **e)** waren – war **f)** hätte – hätte **g)** wäre **h)** war **i)** hatte **j)** hätte – wäre

18 **a)** Erdbeere **b)** Nahrungsmittel **c)** Feuerzeug **d)** Kugelschreiber **e)** Aufzug **f)** Thermometer **g)** Apfelsine **h)** Scheckkarte **i)** Zahnbürste **j)** Kopfkissen **k)** Führerschein **l)** Rasierklinge **m)** Kleiderbügel **n)** Briefmarke **o)** Bargeld **p)** Bleistift

19 Waagerecht:
1 RÜCKKEHR 4 ZEUGE 5 AUSDRUCK 8 GESCHÄFTSMANN 12 FELD 13 TOR 14 STREICH 15 NEBEL 18 FEUER 19 CHARAKTER 20 FOLGE 23 EINSCHREIBEN 24 ABEND 26 POLITIKER 27 RAD 28 FEST
Senkrecht:
1 REGISSEUR 2 KNOPF 3 SCHACHTEL 5 ANSICHT 6 RING 7 BRIEF 8 GELDSCHEIN 9 AUSLÄNDER 10 VERBRECHEN 11 NACHBAR 16 EINWOHNER 17 TASCHENTUCH 21 DICHTER 22 DIPLOM 25 BÜRGER

die: Ansicht, Folge, Rückkehr, Schachtel
das: Diplom, Einschreiben, Feld, Fest, Feuer, Rad, Taschentuch, Tor, Verbrechen
Alle anderen Nomen sind maskulin.

20 **a)** vergessen **b)** anrufen **c)** hören **d)** feiern **e)** verkaufen **f)** fliegen **g)** radfahren **h)** reisen **i)** schreiben **j)** trinken **k)** mögen **l)** tanken

21 **a)** beste **b)** besten **c)** berühmteste **d)** höchsten **e)** spannendsten **f)** liebsten **g)** meisten **h)** älteste **i)** kälteste **j)** teuersten **k)** wärmsten

22 **a)** interessanter **b)** leichter **c)** besser **d)** stärkere **e)** billigere **f)** kühler **g)** jüngere **h)** höheres **i)** bessere **j)** kürzeren

Lektion 10

1 falsch: Sätze a), c), f), i)

2 Lösungsvorschlag:
a) Auf dem Bild zu Frage 1 sieht man eine Landstraße, die durch Regen naß geworden ist. Die Rücklichter des vorausfahrenden Autos und die Scheinwerfer des Gegenverkehrs spiegeln sich auf der Fahrbahn.
b) Das Bild zu Frage 2 zeigt eine Straße bei Dunkelheit. An manchen Stellen ist die Straße hell beleuchtet. Unter den Bäumen am Straßenrand ist es aber dunkel. Links stehen viele parkende Autos. Auf der rechten Seite ist ein Parkverbot, aber rechts im Bild sieht man ein Auto, das trotzdem da geparkt worden ist.
c) Auf dem Bild zu Frage 6 ist eine Straße zu sehen, die in einem Wohngebiet liegt. Auf dieser Straße spielen vier Kinder Fußball.

3 **a)** Prüfungsfrage **b)** Gesamtgewicht **c)** Fahrbahn **d)** Sichtverhältnisse **e)** Schrittgeschwindigkeit **f)** Führerscheinbewerber **g)** Beifahrersitz **h)** Fahrzeugverkehr **i)** Kleinkind **j)** Dunkelfeld **k)** Gewitterschauer

4 **a)** Fahrzeuge, die entgegenkommen, werden erst spät erkannt.
b) Fahrzeuge, die schlecht beleuchtet sind, sind in der Dunkelheit schwer zu erkennen.
c) Kleinkinder dürfen nur in Sitzen, die speziell für Kinder konstruiert worden sind, im Auto mitgenommen werden.
d) Sie müssen immer auf die Fahrzeuge achten, die vorausfahren.
e) Eines der Kinder, die Fußball spielen, könnte zurücklaufen.
f) In der Dunkelheit kann man die Fußgänger, die auf der Straße gehen, schlecht sehen.
g) Auch die Autos, die schneller fahren, dürfen hier nicht überholen.

Schlüssel

5 **a)** Schlecht beleuchtete Fahrzeuge kann man in der Dunkelheit schwer erkennen.
   b) Das Auto konnte man nicht mehr rechtzeitig bremsen. Es fuhr zu schnell.
   c) Die Fußgänger auf der Straße konnte man nicht sehen.
   d) Bei nasser Straße muß man unbedingt langsam fahren.
   e) Den Motor kann man kaum hören, so leise ist er.
   f) In solchen Straßen muß man besonders auf spielende Kinder achten.
   g) Den Motor konnte man leicht reparieren.
   h) Bei Nebel muß man auch am Tag das Licht einschalten.
   i) Die Fragen kann man nur schwer verstehen.
   j) Die Fragen muß man in 40 Minuten beantworten.

6 **a)** Kurt hat nie Angst davor, sich lächerlich zu machen.
   b) Kurt drängelt sich immer darum, im Mittelpunkt zu stehen.
   c) Kurt hat Spaß daran, vor vielen Menschen zu sprechen.
   d) Kurt bemüht sich ständig darum, anderen Menschen von seinen Erfolgen zu erzählen.
   e) Kurt ist überzeugt davon, der Beste zu sein.
   f) Kurt zwingt andere Leute dazu, ihm zuzuhören.
   g) Kurt sorgt immer dafür, sich selbst in Szene setzen zu können.

7 **a)** 3 **b)** 6 **c)** 1 **d)** 2 **e)** 5 **f)** 4

8 **a)** B **b)** B **c)** A **d)** A **e)** B **f)** B **g)** A **h)** A

9 **a)** Nervenkraft **b)** Seelenleben **c)** Bahnticket **d)** Persönlichkeitstest **e)** Stellenbewerber **f)** Testspezialist
   g) Fluggesellschaft **h)** Leistungsbereitschaft **i)** Bewerbungsgespräch **j)** Kontaktfähigkeit **k)** Grabstein

10 **a)** fleißig **b)** faul **c)** aggressiv **d)** ängstlich **e)** dumm **f)** ehrlich **g)** höflich **h)** klug **i)** zufrieden **j)** sympathisch

11 **a)** C **b)** B **c)** C **d)** B **e)** B **f)** B

12 **a)** in **b)** auf die **c)** vor der **d)** für die **e)** auf die **f)** bei der **g)** für die / um die **h)** über den **i)** am **j)** auf die / für die

13 **a)** durch die **b)** für **c)** mit **d)** mit **e)** Für die **f)** durch die /mit den **g)** für die **h)** durch den **i)** mit einer – einem

14 Freie Lösung.

15 **a)** Es macht mir Spaß, von allen bewundert zu werden.
      Es macht mir Spaß, daß meine Frau von allen bewundert wird.
   b) Ich befürchte, die Prüfung nicht zu schaffen.
   c) Ich freue mich, daß du die Prüfung bestanden hast.
   d) Die Firma hat Frau Marger mitgeteilt, daß sie für die Stelle nicht in Frage kommt.
   e) Er ist bereit, alle Fragen zu beantworten.
   f) Es ist wichtig, einen guten Eindruck zu machen. / ... daß man einen guten Eindruck macht.
   g) Er ist sicher, daß sie die Stelle bekommt.
   h) Frau Dr. Hiller hofft, eine Lösung für unsere Probleme zu finden.

16 **a)** Bevor **b)** Als **c)** Während **d)** Seit **e)** Solange **f)** Nachdem

17 **a)** ausgefallen **b)** beworben **c)** vorbeifahren **d)** abschneiden **e)** losgeht **f)** angeht **g)** schadet

18 **a)** Je früher man anfängt, desto besser lernt man.
   b) Je näher der Prüfungstermin kommt, desto weniger sollte man lernen.
   c) Je bedeutender eine Prüfung ist, desto früher sollte man mit dem Lernen aufhören.
   d) Je ehrgeiziger man ist, desto größere Prüfungsangst hat man.
   e) Je heller die Farbe eines Autos ist, desto besser kann man es in der Dunkelheit erkennen.
   f) Je mehr Franz im Mittelpunkt des Interesses steht, desto besser fühlt er sich.
   g) Je länger Simon redet, desto mehr langweilen sich die Zuhörer.

19 **a)** mit – starkem – schlechtem **b)** auf die – den – die **c)** vor der – den – der **d)** an der – dem – dem **e)** auf die – die – das **f)** für/um eine – ein – einen **g)** auf/für den – das – die **h)** von der – den – dem / über die – die – das **i)** nach den – dem – dem **j)** über die – deinen – seine **k)** zu – großen – guten **l)** mit der – dem – der **m)** aus

20 **a)** Achtung **b)** Verhältnis **c)** Aufmerksamkeit **d)** Verständnis **e)** Anschluß **f)** Methode **g)** Zusammenarbeit
   h) Erfahrung **i)** Eindruck **j)** Dinge